JN089005

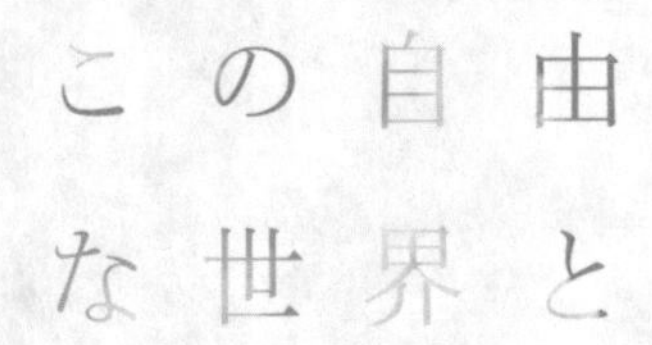

この自由な世界と私たちの帰る場所

河野真太郎
Shintaro Kono

青土社

この自由な世界と私たちの帰る場所　目次

この自由な世界と私たちの帰る場所

序

個人的な話題となるが、私は一九七四年に、山口県で生をうけた。

一九七四年、そして山口県という二つは、本書の（かなりの遠景ではあるが）背景画だ。ただ、取り急ぎつけ加えると、本書がこの世代の地方出身者の経験のみに関わるものだという意味ではない。私たちの現在を考えるにあたって重要な背景となっている、という意味だ。

まず一九七四年であるが、七〇年代半ばというのは、日本では高度経済成長が一段落し、ある意味では戦後体制と経済成長の矛盾や軋轢の発露でもあった新左翼運動が解体していった時代であり、一九八〇年代以降に本格化する新自由主義時代の幕開けの瞬間であった。

新自由主義について教科書的な定義を確認しておくと、それはそれ以前の福祉国家——つまり大きな政府が基幹産業やインフラ産業を国有化し、大規模な公共投資を行うことを経済成長の起爆剤とし、完全雇用・終身雇用を実現しつつ社会保障や医療や教育を充実させた体制——を否定し、小さな政府と市場の自由、私営化（民営化）と自己責任、雇用の流動化を基調とするような社会の理論と実践である。

個人の道徳の水準では、新自由主義は（福祉への）依存を否定し、自由市場で柔軟かつ自立的な主体（主に労働者としての主体）を確立し、終わりなき選択と競争を続けられることを人間の生存のための条件とした。生活のあらゆる部分を経済化し資本化する、資本主義の最終段階である。

上記の年に生まれた私はまさにその新自由主義の形成期に物心がついて青年期を過ごしたのだが、今思い返せば確実に新自由主義的な自己責任論であるとか、共同体には依存せずにメリトクラシー（能力主義体制）において自立的な個人を育てることであるとか、そういった信念を拠り所に成長していった。もちろんそういった心性は新自由主義独特の発明物ではなく、それに先行する福祉国家（日本型福祉国家は独特のものであったとも思うが）の残滓でもある。福祉国家を支えた自由主義（リベラリズム）と新自由主義を構成する自由主義は確実に連続している。だが、新自由主義のレトリックはまさにそういった連続性を覆いかくし、先行する福祉国家時代との切断のレトリックによって自らの正当性を演出するものだった。

それはどうあれ、はっきりさせておきたいのは、そのような（新）自由主義は私にとって解放的だったということだ。それは、私が生まれた山口の共同体的なものから身を引きはがすことを可能にしてくれるように思えた。その点で私にとって新自由主義はまさにマーガレット・サッチャーが述べたように「それ以外には選べないもの（There is no alternative）」であった。誤解を恐れずに言えば、私は故郷から、学歴メリトクラシーのはしごを昇ると同時に空間的にも精神的にも自らを切り離す以外の選択肢を持つことができなかった。そして、一度離れた故郷に帰郷するという選択肢もなかった。それは故郷喪失という苦境でもありつつ、やはり解放だった。

そもそも「新自由主義」という言葉は批判のために用いられるのが通例であるから、以上のように述べるのは意外かもしれない。しかし私はこれまでの著作では、そして本書でも、新自由主義の二面性を常に手放さなかったつもりである。新自由主義は、よく批判されるように、苦しみをもたらすものである。しかし、それが望まれた理由も理解されなければならない。それは部分的には確実に、何かからの解放であった。

だがやがて、そのような解放性の輝きはくすんでいった。それはまずは、二〇〇〇年代以降に新自由主義が深化していくにつれてこの社会の階級化（格差）が深まっていったということがある。世界的には、二〇〇八年のリーマン・ショックを経て、二〇一〇年代には、「われわれは九九％だ」をスローガンとした「ウォール街を占拠せよ」運動が起きた。それが訴えたのは、一九七〇年代以降広がり続ける格差の是正であった。[1] また、この運動の標的がウォール街だったことは無意味ではない。それが問題にしたのは、新自由主義による経済の金融化だった。実体経済とは遊離したマネーゲームによる富の追求は、労働者階級の連帯をさらに解体し、さまざまな水準で社会を荒廃させた。例えば、大学「経営」の金融化や、学生ローンの金融商品化を考えれば、教育が商品化を超えて金融化されていることが分かる。

だが問題はそれだけではない。そのように、格差社会や経済の金融化という点で新自由主義のマイナス面が意識され、批判されること自体はよいとして、その後に生じた展開が、私を深く絶望させているのである。二〇一〇年代前半は、新たな民衆運動が萌芽しつつあるという感覚をもたらした時代だった。「ウォール街を占拠せよ」運動だけではなく、二〇一〇年のチュニジアにおける「ジャスミン革命」と「アラブの春」、二〇一四年の香港における「雨傘革命」や、同年の台湾における「ひまわり学生運動」。日本では二〇一一年の東日本大震災と福島第一原子力発電所における原子炉メルトダウンを受けて起こった脱原発デモ、二〇一五年の安保法制に反対するSEALDsといった若者たちによる新たな市民運動が生じていた。

私はこのような動きに一縷の希望を抱きつつ、もう片方では不安を払拭できないでいた。二〇一七年に私は『戦う姫、働く少女』を上梓したが、その終章で私は次のように書いた。

二〇〇八年の金融恐慌とそれにつづく不況の中で、文脈も性質もさまざまに異なるものの、新たな大衆運動が生じてきている。それを、大衆運動だからという理由だけで両手放しで評価することは、もちろんできない。それを言うなら一九三〇年代のファシズムも大衆運動であった。現在が新たな一九三〇年代とならないという保証はない。

本章の元になる文章をわたしは二〇一五年の夏に書いた。その後世界で起こったことは、イギリスのEUからの離脱であり、ドナルド・トランプのアメリカ大統領就任であった。そしてまた、これらに象徴されるような、反グローバル運動としてのナショナリズムや孤立主義であった。もちろん、これらの出来事の後にも、ここまでの記述を変更する必要はないと感じている。いや、むしろ、予測があまりにも的確に当たっていてうんざりである。ブレグジットとトランプは右記の大衆運動の延長線上にある。そのさらなる延長線上に何があるのかは、当然にわたしは分からない。全面的な戦争かもしれない。その場合にはリーマン・ショックは一九二九年の再来として読み替えられるだろう。[2]

六年前（実際に書いたのはもう少し前）の文章であるが、今思えば、「予測があまりにも的確に当たっていてうんざり」という時のうんざり、絶望はまだ浅かったと言わざるを得ない。この時には、米国国会議事堂を占拠するトランプ主義者たちや、真実をかなぐり捨てたプロパガンダでウクライナに軍事侵攻をしたプーチンのロシアの姿はいまだ見ていなかったのだから。

私たちが目にしたのは、反新自由主義運動や反グローバリゼーション運動の「反転」である。自由と平等を求める運動が、まさにその自由と平等の名の下に、新たな党派主義、部族主義（トライバリズム）、排外主義や差別主義へと反転したのだ。この「反転」は、私たちの生活、社会、政治のいたるところに刻印を残している。例えば、ジェンダーの問題を考える際にも、この「反転」は意識されなければならないと私は考えている（本書の第1章や第4章を参照）。新たなミソジニーの論理は、それこそ主観的には自由と平等の希求を基礎としている。

その中で、私の絶望の核にあるのはおそらく、その反転のプロセスの中で、「新自由主義」の中にあった「自由主義」が事実上失われつつあるということだろう。反新自由主義的な運動は、階級格差やそれを推し進める権威主義的な政府や企業[3]に抵抗する、自由のための運動であった。だがそれは、トランプ主義者やプーチンといった、ポストトゥルース的陰謀論にまみれた暴力的で非民主主義的な勢力を突き動かす源泉にもなった。そのプロセスで、私が「新自由主義の解放性」と呼んだものは、すっかり失われてしまったように感じられるのだ。（そもそも新自由主義に解放性を求めたのがお人好しだと言われればそれまでだが、述べた通り、私にはそのようなものを求めないという選択肢はなかった。）

「どこか族」と「どこでも族」

本書『この自由な世界と私たちの帰る場所』のタイトルは、「この自由な世界」と「私たちの帰る場所」という二つの部分で構成されている（ご覧の通り、それらはそのまま部のタイトルにもなっている）。

ここまでの議論で、前半の「この自由な世界」が何のことを言っているのかは、大まかに理解いただけたのではないかと考えている。これは、ケン・ローチ監督の『この自由な世界で』（二〇〇七年、原題 *It's a Free World...*）のタイトルと同様、多分にアイロニーを込めたものである。アイロニーは込めているのだが、同時に「自由」への希求という真剣な願望もまた、そこには込められている。

そして、この序文を私の出自から語り起こしたのは、まず、一九七四年という生年が新自由主義の始まりとほぼ重なっているからであったが、山口出身であり、そこからの移住者であることについて、つまり「場所」の問題――タイトルの後半の「私たちの帰る場所」――については、もう少し述べておく必要があるだろう。

ここまで概観した現在において、「場所」にはどのような意味があるだろうか。まずは、近代のメリトクラシー（新自由主義もそれを引き継いでいる）と「移住者の物語」がからみ合っていることは、示唆した通りである。その物語はいまだに有効なのだろうか。部分的にはそうだろう。だが、現在においてはそれが無効化している部分もあるのかもしれない。イギリスの著述家デイヴィッド・グッドハートの『どこかへの道――イギリス政治をかたちづくる新たな部族たち』[4]は、現在において「場所」が持つ意味を理解するためのヒントを与えてくれる。『どこかへの道』は二〇一六年のEU残留／離脱を問う国民投票の結果（離脱）を受けて書かれたものであり、ベストセラーとなった。

ベストセラーが必ずそうであるように、『どこかへの道』は非常に簡潔に現代のイギリス政治の本質を――そしておそらくイギリスだけではなく、世界的に共有されている本質を――射貫いてみせた。グッドハートによれば、ブレグジットが背景とするのは、「どこでも族（Anywheres）」と「どこか族（Somewheres）」の対立である。「どこでも族」とはつまり、どこに行こうが生きていける人びとである。グローバリゼーションに適応し、どこでも働いて生きていけるスキルを身につけ、リベラルな価値観を持つ、グローバルな中産階級――それが、「どこでも族」である。それに対し、グローバリゼーションが進む中で、ある場所――基本的には自分の生まれた場所――でしか生きられず、したがってその場所の、良く言えばコミュニティを大切にし、悪く言えば排外的になってしまうような人びとが、「どこか族」である。

ブレグジットであれば、EUへの残留とそこからの離脱は、この「どこでも族」と「どこか族」の対立として姿を現した。離脱キャンペーンを推進したナイジェル・ファラージやボリス・ジョンソンのような政治家たちは、イギリス労働者階級の苦境を移民労働者のせいにし、ポピュリズム的な排外感情をそのキャンペーンに利用した。その観点では、EU残留派はグローバリゼーションの手先としてのEUを肯定する輩であり、イギリス国内のコミュニティを裏切ってグローバリゼーションから利を得うるし、実際に得ている人びと、つまり「どこでも族」なのである。

私は、この対立を実地で体験した。国民投票のあった二〇一六年、私は本書の後半で論じるイギリスのウェールズに、スウォンジー大学のリチャード・バートン・センター・フェローとして滞在していた。私の暮らしたスウォンジーという町は、かつては製銅業で栄えていた。南ウェールズで産出される石炭と銅を活用し、銅製品をグローバルに輸出していた。

そのようなスウォンジー出身の有名詩人、ディラン・トマスは、スウォンジーのことを「醜い、美しい町」と呼んでいる。スウォンジーは長いビーチに面した風光明媚な町だが（そのビーチも、かつては製銅業のためにひどく汚染されていたそうなのだが）、ディラン・トマスの生家の彼の部屋は、一面の窓はそのビーチに向いており、もう一面の窓は町の東側の工業地帯を望んでいる。「醜い、美しい町」というのはそのようなスウォンジーの二面性を表現しているのだ（というのは、生家の案内人の受け売りであるが）。

実際、現在においてもスウォンジーは二つの顔を持っている。ひとつの顔は東部の工業地帯（いまや製銅業は存在しないが、自動車修理工場などが集まる労働者階級地域）であり、もうひとつの顔は西部の風光明媚な地域である。後者はミドルクラスの住む地域であり、私が家を借りたのもこの地域だった。

ちなみにその東部地域は、ポスト工業の現在においては、一方では再開発の波にもまれつつ、もう一方ではアマゾンの倉庫やコールセンターといった、いかにもポスト工業的な産業地域となりつつある。じつはこの地域は、ジェームズ・ブラッドワースのルポ『アマゾンの倉庫で絶望し、ウーバーの車で発狂した』[5]に登場する。このルポルタージュでブラッドワースは、現代のさまざまな過酷なギグワークを体験し報告しているが、第三章ではスウォンジーのおそらく東部の再開発地域にあるコールセンターで働くのである。

さて、そのようなスウォンジー西部のミドルクラス地域に住み、大学に通った私は、EU離脱派に出会うことがほぼなかった。唯一の例外は離脱キャンペーンのチラシを私の家の郵便受けに投げ込んだ男性と偶然に目が合った時だった。それ以外に、大学や近所で親しく話す人たちの中に離脱派は存在しなかった。であるから、情勢が変化していって、投票の結果が「離脱」となったことは大きな驚きだった。

そのスウォンジーであるが、投票の結果はまさに、上記の二面性をそのまま表現するものだった。スウォンジーの選挙区はスウォンジー・イーストとスウォンジー・ウェストに分かれているが、スウォンジー・イーストは、六二%とウェールズ全体でももっとも離脱の投票が多い地域となったのだ。それに対してスウォンジー・ウェストは四〇%台前半であった。[6]これは、グッドハートの言う「どこでも族」と「どこか族」の分断がスウォンジーという地方都市の内部でみごとな表現を得た事例だろう。ミドルクラスでリベラルでEU残留派の西部住民と、労働者階級で排外主義に走り、

EU離脱を望んだ東部住民。ショックであったのは、ウェールズの労働者階級の伝統の中にある自由主義が、そこでは影を潜めてしまったことである。

この対立はイギリスに限ったものではないだろう。ブレグジットの衝撃の直後に訪れたのは、トランプ・ショックであった。バラク・オバマという有色人種で教養が高くリベラルな価値観を持った大統領の後に、史上初の女性大統領になる可能性が濃厚であったヒラリー・クリントンを打ち負かしたのは、性差別や排外主義を隠しもしないドナルド・トランプだった。そして、トランプを支持したのは、ラスト・ベルトと呼ばれる、不況にあえぐアメリカの元工業地帯の白人労働者たちだった。あとは同じ物語である。

そのような現状がグローバルに、つまり日本でも共有されているとすれば、現状の問題は「場所」の問題でもあるのだ。私は近代的な移住者の物語、つまりメリトクラシー的な階級と場所の移動の物語が無効になりつつあるかもしれないと述べたが、グッドハートの言う「どこでも族」と「どこか族」の分断と固定が真実であるなら、まさにそのような「移動」の物語は無効化した、というよりはグローバリゼーションの中での「勝ち組」＝「どこでも族」に占有された物語になりつつあるのかもしれない。その一方で、場所と階級に縛りつけられた「どこか族」からは、そのような近代の物語が奪われている。

だが、「どこでも族」と「どこか族」の危険なほどに分かりやすい対立図式は、溝を深めるためではなく、対立を解きほぐして解除するための図式でなければならない。そのためには、逆説的だが、「どこでも族」と「どこか族」の対立は突き詰めれば幻想的なものであると理解せねばならないだろう。グローバル化する世界の中で、グローバル・ミドルクラスの仲間入りをしてどこでも生きていける力を身につけようとひたすらに努力するわけでもなく、かといってそのようなものへの反動で偏狭なナショナリズムや排外主義やミソジニーに陥るわけでもない、「間」の道が目指される必要がある。そのためには、近代においては、私たちはみな多かれ少なかれ故郷喪失者（エグザイル）なのだという認識が、最終的には重要になるだろう。本書の後半「私たちの帰る場所」に通底するのは、そのような問題意識である。

注

（1）デヴィッド・グレーバー『デモクラシー・プロジェクト――オキュパイ運動・直接民主主義・集合的想像力』木下ちがや・江上賢一郎・原民樹訳、航思社、二〇一五年。

（2）河野真太郎『戦う姫、働く少女』堀之内出版、二〇一七年、一九七―一九八頁。

（3）新自由主義が「小さな政府」を標榜しつつ、自由市場を拡大するために権威主義的な政府を必要とする逆説については多くの議論があるが、例えばウェンディ・ブラウン『新自由主義の廃墟で――真実の終わりと民主主義の未来』河野真太郎訳、人文書院、二〇二二年を参照。
（4） David Goodhart, *The Road to Somewhere: The New Tribes Shaping British Politics* (London: Penguin, 2017).
（5） ジェームズ・ブラッドワース『アマゾンの倉庫で絶望し、ウーバーの車で発狂した』濱野大道訳、光文社、二〇一九年。
（6） Craig Johnson, 'Brexit and Wales: Understanding the Reasons Behind the Welsh Vote.' https://www.wcpp.org.uk/commentary/brexit-and-wales-understanding-the-reasons-behind-the-welsh-vote/（二〇二三年五月四日閲覧）

Ⅰ　この自由な世界

第1章　機嫌の悪い女たち、機嫌の悪い男たち
――ポストフェミニズムにおける感情の取り締まり（ポリシング）

ポストフェミニズムが多くの論者によって「メディア文化」として論じられてきたのは、それを論じるのが主にメディア学者やカルチュラル・スタディーズ学者であったという偶然に負うものではない。これまで英語圏で「ポストフェミニズム」の定義に影響力を持ったのは、アンジェラ・マクロビーの『フェミニズムの波の後で――ジェンダー、文化、社会変容』[1]（二〇〇八年）であり、ロザリンド・ギルの論文「ポストフェミニズムのメディア文化――ある感受性の諸要素」[2]（二〇〇七年）であった。とりわけギルの論文は、そのタイトルにあるように、ポストフェミニズムの「メディア文化」に焦点を当て、ポストフェミニズムを「ある感受性」として定義した。このように述べると、ギルらがポストフェミニズムをもっぱら文化的なものとして見た、つまり社会的・経済的現象としてそれを見なかったという誤解が生じそうである。そのような批判があるとするなら、それは文化に関する非弁証法的な観念にもとづいた批判だと言うしかない。そうではなく、とりわけ

ポストフェミニズムの物質的＝実質的なありようを理解するためには、それがまずなによりもメディア的な存在であることを出発点としなければならないと、私はそのように理解している。ポストフェミニズムはまずはメディア文化として、もしくはメディア化（媒介）されたものとして存在する。その事実から出発して、私たちはその実相に迫っていく必要がある。

私は本論でポストフェミニズムという用語を使用するにあたって、ロザリンド・ギルがはっきり述べるように、まずはそれを「分析の対象」として見たい[3]。言い換えれば、それをまずは記述可能なイデオロギーとして論じたい。記述可能なイデオロギーとして扱うというのは、その表象的なありようを検討するということであり、広い意味でのメディア的な内容と作用を認識し分析するということである。これは拙著『戦う姫、働く少女』（堀之内出版、二〇一七年）の出発点でもあった。私はポストフェミニズムを、第二波フェミニズム以降の「主義」としてのフェミニズムというよりは、むしろフェミニズムが、もしくはフェミニズムの従来的な問題構成が、無効になったと（本当にそうであるかは別として）想定されるような状況を記述するための言葉として扱った。

ではそのイデオロギーの内容はどのようなものであり、さらにそのイデオロギーの土台となっているものは何なのだろうか？　これは本論が部分的にその答えを出そうとしている疑問なので、ここでその完全な答えを提示することはできない。これについては、私自身も含めて多くの論者がさまざまな議論と、ポストフェミニズム以外の呼称を提示してきた。すでに触れたマクロビーやギル以外にも、ドーン・フォスターは、シェリル・サンドバーグの著書『リーン・イン』[4]をもじった『リーン・アウト』[5]において、フェイスブックCOOのサンドバーグによるフェミニズムを「企業フェミニズム」として批判したし、サラ・バネット＝ワイザーは第二波とは分断されて／分断することで可視性を獲得したフェミニズムを「ポピュラー・フェミニズム」と名づけた[6]。ロザリンド・ギルはこのポピュラー・フェミニズムのさまざまな位相を、セレブリティ・フェミニズムやフェミニズムの新たな可視性という観点から論じてもいる[7]。また、私がポストフェミニズムのイデオロギーのもっとも重要な側面を表現していると考えるのは、キャサリン・ロッテンバーグの著書のタイトルにある「ネオリベラル・フェミニズム」[8]ということになる。ポストフェミニズムのイデオロギーの諸要素は、ネオリベラリズムのそれと多くを共有している。本論ではそのうちのひとつの側面に光を当てたい。

本論が同時に視野に入れたいのは、ポストフェミニズムにはその裏側にそれへの反動としてのミソジニーがともなわれるということだ。サラ・バネット＝ワイザーが論じたように、ポピュラー・フェミニズムとポピュラー・ミソジニーが表裏一体のものとして現象するのである。この事態に対処するためには、ポストフェミニズムの女性性を論じると同時にその反面としての男性性もまた論じられなければならない。本論はその試みでもある。

そこに進む前に重要な論点をいくつか確認しておく。私はここまで、ポストフェミニズムを記述可能なイデオロギーと呼んだ。しかしこれは議論を進める上での仮設的な想定でしかない。というのも、何かを記述可能なイデオロギーとして想定するということは、それを記述する主体の外在性を想定することでもあるからだ。私たちは（そして私は）そのような外在性を前提できるのか？私はここで政治的な正しさ（ポリティカル・コレクトネス）や研究者としての倫理（もしくは疚しさ）のことを言っているのではない。「批判」の有効性を問題にしているつもりである。ポストフェミニズムであれ、ネオリベラリズムであれ、それを単に他者のイデオロギーとして、批判され否定されるべき虚偽意識として（他なるものとして）のみ論じる限り、逆説的にもその外部を思考することは突き詰めれば不可能になるだろう。本論がそこまで到達できるかどうかは心許ないが、ポストフェミニズムとは「私たち」のものであり、「私たち」が共に乗り越えるべき何かである、という（「私たち」が誰かという難問ももちろんそこに含み込んだ）テーゼを、到達点として設定だけはしておきたい。

　また、それ以前に、ポストフェミニズムという言葉の使用に対してまず向けられる批判は、二〇二二年の世界経済フォーラムによるジェンダーギャップ指数が一四六カ国中一一六位に沈んだ日本で、「ポスト」フェミニズムという現状認識は間違っているというものだ。私自身、ここでは主にイギリスの論者に依拠してポストフェミニズムを論じており、しかもこの後の本論ではそれを比較的自由に主に日米の作品に適用していく。その意味で、ポストフェミニズムのナショナルな個別性は捨象してしまっていることに自覚的である。

だが、私の主張は、ジェンダーギャップ指数が示すような日本の状況を考えるにあたって、それを単に「フェミニズム以前」の状況として捉えるのではなく、ナショナルな差異よりもポストフェミニズムという観点から見えてくる共通性の方にまずは注目することで、むしろ「日本のポストフェミニズム」[9]がよりよく理解できるというものである。本論では、そのような作業の前段階として、まずはまだ日本で煮詰まってはいないポストフェミニズムをめぐる議論と論点の一部を紹介しつつ、英語圏と日本の作品を、差異よりも共通性を強調しながら読んでいきたい。本論の議論は非常に予備的で部分的なものである。今後日本においてポストフェミニズムをめぐる議論がさらに展開されるとして、その基礎の一部を提供できればと考えている。

サクセスフルな女性性と感情の取り締まり（ポリシング）

前置きが長くなったが、本論で検討したいポストフェミニズムのイデオロギーの一側面、それは「感情の取り締まり（affect policing）」である。[10]

多くの論者が一致しているように、一九九〇年代（場合によっては一九八〇年代）以降のポストフェミニズムは、ある種の女性性の再肯定を特徴とした。例えばポストフェミニズムの代表的な分析家の一人であるシェリー・バジェオンは、ポストフェミニズムを論じるにあたって、その第三波フェミニズムとの差異について繊細なニュアンスをともなう議論を展開しているが、ポストフェミニズムが、ネオリベラリズム下での「成功（サクセス）」を収めるような女性性を肯定していることを批判的に指摘している。バジェオンはポストフェミニズムを以下のように要約する。

平等は達成されたと主張することで、ポストフェミニズムの言説は女の達成に焦点を当て、ライフスタイルや消費の選択に典型的に体現されるような、個人化された自己定義と私有化された自己表現のプロジェクトに乗り出すよう、女たちの背中を押すのである。(11)

ポストフェミニズムは第二波フェミニズム的な平等への主張が文字どおりに達成されたというよりは、それが別の形で達成されうると主張する。すなわちそれはネオリベラルな競争社会における競争の条件の平等だ。

もちろんそのような「平等」の主張は、ネオリベラリズムが生む階級格差が純粋にメリトクラティックな格差などでないのと同じ理由で欺瞞的な主張である。それにしても、ポストフェミニズムはある種の女性性と、自由な選択や個人化された自己定義による主体性のあり方を、好ましいものとして肯定する。

本論で注目したいのは、そのような主体性の諸要素の中でも「感情」にまつわるものである。ポストフェミニズムは、ある種の「否定的」感情を忌避し、「肯定的」な感情を推奨する。肯定的な感情とは、自信、自己肯定感、幸福などだ。また、それに付随する心理的性質としてレジリエンスの肯定も挙げられる。[12] ロザリンド・ギルとシャーニ・オーガッドはネオリベラリズムの文化を「自信のカルト／カルチャー」として論じる。[13] 自信は、ネオリベラリズム下の女性の「自己のテクノロジー」の重要な要素をなしているのだ。また、感情とフェミニズムのポリティクスの問題を追及している論者としてはサラ・アーメッドがいる。彼女が『幸福の約束』で述べるように、現代では幸福が人間や国民の発展度の新たな指標となっている。[14] このことが、「幸福な主婦」の像を批判してきたフェミニズムにとって持つ意味は大きい。幸福のカルトの時代にあって、フェミニストは「興ざめフェミニスト（feminist killjoys）」という表象を与えられてしまうのだ。[15]

そのような「肯定的」な感情が推奨される際に、その陰画として否定される感情の代表は「怒り」もしくはより広く「機嫌の悪さ」であろう。[16] 本論では、ポピュラーな、そして私の観点ではポストフェミニズム的な作品が、いかに「怒り」のコントロールを主題としているのかについてまずは指摘したい。

『アナと雪の女王』と『風の谷のナウシカ』における不機嫌の超克

私は拙著『戦う姫、働く少女』第一章で、『アナと雪の女王』をポストフェミニズム的な作品として論じた。この作品は、アナというキャラクターによって、旧来のディズニー映画が称揚した福祉国家下における専業主婦の価値を否定する。それとの対照において、エルサはそのような価値観を否定する、キャリアウーマンもしくはグローバルエリートの体現である。

私の議論の要諦は、アナとエルサの対立、つまり専業主婦志向とグローバルエリートという対立的表象が、その対立を全体的なものとして表象することで、それとは別の女性性を排除し消去しているということだった。それはネオリベラル体制下で要請される流動的な労働力として市場にかり出された、非正規雇用の女性たちである。

より詳しい議論は拙著にゆずるとして、ここで再検討したいのは、エルサの表象自体が、ある種の「矛盾」を抱えたものではなかったか、ということである。それは、キャラクター設定とプロットの上にいわばあまりにも大きな文字で書きこまれているために、その重要性を見逃してしまうモチーフだ。つまり、感情をコントロールすることが、エルサの最大の試練になっていることだ。それどころか、それが彼女の唯一の試練だと言ってもいいだろう。

エルサの魔法の力は、アナがハンス王子との突然の結婚を伝えたことに対する驚きと怒りの感情を抑えられないことによって暴走を始める。そして、その暴走を最終的に解決してくれるのは、妹のアナとの和解、そして二人のあいだの「愛」の確認だ。

『アナと雪の女王』は、上機嫌（／幸福感）と不機嫌（／怒り）という二種類の感情のせめぎあいで出来上がっているとも見ることができる。基本的には前者を受け持つのがアナ、後者を受け持つのがエルサであるが、プロットはこの二律背反が解消し、エルサが彼女なりの上機嫌／幸福感を手に入れることで解消する。

これを、先述のサラ・アーメッドの議論に落とし込んでみると非常に興味深い。『幸福の約束』の第二章でアーメッドは、「幸福な主婦」の理想的観念を批判する『新しい女性の創造』のベティ・フリーダンから説き起こして、幸福な主婦のイメージと、それを批判するフェミニズム（批判される側からするとそれは「興ざめフェミニスト（feminist killjoys）」ということになる）との対立を、近年の新たな「幸福な主婦」志向の再勃興とともに論じている。

『アナ雪』における上機嫌と不機嫌のあいだの綱引きは、アーメッドが論じる「興ざめフェミニスト」問題として捉え返すことができるだろう。だが、この作品のポストフェミニズム性を折り込むと、この捉え返しはかなり複雑になる。私が論じた通り、エルサのキャラクターは、部分的にはフェミニズムの成果である。彼女は力を持ち、旧来的性的規範から解放された人物だ。しかし、そうであるがゆえに、彼女が不機嫌にとらわれてしまっていることは反動的だと言える。一方には上機嫌と幸福を体現する「新たな主婦」としてのアナがいる。フェミニズムの「解放」がもたらしたキャリアウーマンたるエルサは対照的な不機嫌さに特徴づけられる。まさに、「興ざめフェミニスト」がそこにはいる。

であるから、エルサがみずからの不機嫌と折り合いをつけることを中心とする『アナ雪』の全体は、ポストフェミニズムが「興ざめフェミニズム／不機嫌なフェミニズム」と折り合いをつける物語だとも言えるのだ。

この上機嫌と不機嫌の相克の物語は、二〇一〇年代ディズニーの発明ではない。私たちは、ずっとそのような物語を見せられてきた。宮崎駿による一連の物語である。

まず、機嫌と魔法の力との関係といえば、一九八九年の『魔女の宅急便』がある。これについてはやはり『戦う姫、働く少女』（第三章）で論じた。主人公のキキの魔法の力＝彼女の労働のための力と、彼女の感情管理能力は一体のものとなっている。魔女としての職業訓練に出かけるにあたって、キキは母に「笑顔も忘れないでね」という命令をインストールされる。そして、彼女が発明する職業は、笑顔での顧客への対応を中心とする宅急便である。キキが飛ぶ力を失う直接のきっかけは、彼女が思いを寄せる男の子トンボと仲良くする女の子に対して悪感情を抱くことであり、力を失ったキキは、「素直でやさしいキキはどこかに行っちゃったみたい」と言う。感情管理能力と仕事のための力としての魔力はかなり直接的に結びつけられているのだ。

さらにさかのぼって『風の谷のナウシカ』もまた怒り／不機嫌の管理を物語の縦糸としていたことを指摘しておきたい。まず、『風の谷のナウシカ』の主人公ナウシカが、日本のポストフェミニズムのほぼ原像とでも言えるようなキャラクターであることは、これまた『戦う姫、働く少女』（主に「はじめに」）で論じた通りだ。そこで論じなかったのは、ナウシカもまた感情管理の人であったという事実である。これについては映画版と漫画版を区別する必要はないが、序盤のシークエンスがその大部分を予告している。腐海を探索するナウシカは、目を赤の攻撃色に変えて怒り狂う王蟲（オーム）に遭遇し、その怒りを鎮める。その場面によって、ナウシカは蟲たちと交感できる不思議な能力を備えていることが表現される。

この王蟲の怒りを鎮める場面は、その後、傍若無人な行為（その内容は映画版と漫画版では異なってはいる）を働いたトルメキア兵に対して、ナウシカが怒りを爆発させ、兵を打ち殺す場面と対になっている。王蟲の怒りを鎮める力を持ってはいるが、その共感能力は諸刃（もろは）の剣であり、ナウシカ自身は王蟲のごとくみずからの怒りを管理できないのである。

この後は漫画版を対象にして話を進めるが、『風の谷のナウシカ』もまた、ナウシカが感情管理能力を高めていく物語だ。そして、『ナウシカ』の場合、感情管理能力は魔法の力とリンクされるのではなく、物語の世界の「真実」に近づいていく力とリンクされているだろう。

だが、『ナウシカ』の場合、怒りや不機嫌の対偶にある感情は幸福感や上機嫌ではない。そうなるには、『ナウシカ』はあまりにも陰鬱な物語だから。では、怒りの対偶に来る感情は何か。ひとつには「悲しみ」であり、さらに進んで無感情である。ただし、『ナウシカ』の中で実際に怒りを乗り越えて「悲しみ」へと至ることを学ぶプロセスが示されるのは、ナウシカ自身ではなく、そのライバルともいうべきクシャナ姫だ。彼女は物語の中盤で、「大海嘯」と呼ばれる、腐海の蟲たちが溢れかえって人間世界を蹂躙する現象の中で、ずっと恨み、仇に思ってきた兄が、蟲の攻撃であっさりと死ぬのを目にする。クシャナは、蟲の大群に襲われる中での体験を述懐する。「いつの間にかわたしはナウシカのいうとおりにしていた／憎しみと恐怖をすてれば蟲は襲って来ないという」「そなた達の姫様の謎がすこし解けたようだ／だが二度と私にはできぬ／いや真似たくもない／猛々しい怒りを燃やしつつ侮辱と憎悪ではなく……悲しむなど[17]」

クシャナ姫は、宮崎駿がナウシカと同時に発明した、この上なく魅力的なポストフェミニズム的キャラクターである。彼女を動かす感情は怒りであり恨みだ。だがここで、クシャナは怒りを捨てることをナウシカから学ぶ。私はここで、クシャナがラディカル・フェミニスト的な「怒り」を捨て、「興ざめフェミニスト」であることを止めて真のポストフェミニストとなる瞬間を見いだす。

ナウシカ本人はというと、とりわけ第七巻で、自分たちの世界の真実に気づくにしたがって、彼女はあらゆる感情から自由になっていくように見える。

ナウシカ、『魔女の宅急便』のキキ、そしてエルサ。じつに三〇年の時をまたいだポストフェミニズム的主人公たちが、不機嫌と怒りを乗り越えるという感情管理の完成をその主体性の目的地としていることは、偶然ではない。それはネオリベラリズム的／ポストフェミニズム的な「自己のテクノロジー」の重要な一部なのである。

不機嫌な男たち、コミュ力、男性性をクィア化すること

ここまで述べた、ポストフェミニズムと感情をめぐる議論は、物語の半分であるべきだ。というのも、ことに怒りや不機嫌という感情には、ジェンダーによる非対称性がつきまとうからだ。怒りであれ、はたまた幸福感であれ、女が抱くのと男が抱くのでは意味がまったく違う。だが、その非対称性は、ポストフェミニズム状況という全体のうちの二つの面として分析されるべきだ。

では、男たちの怒り、不機嫌な男たちはどのように表象されてきただろうか。

この疑問を抱いたときに、多くの人の念頭にまず浮かぶのは『男はつらいよ』の寅さん（車寅次郎）かもしれない。彼の不機嫌さの定型は、倍賞千恵子演じる妹のさくらをはじめとする家族たちが、彼の機嫌を損ねてはややこしいと思っていることを彼に悟らせないように努力していることがばれた時に訪れる不機嫌さである。彼には、自分の不機嫌が迷惑だという自覚がどこかにあり、家族が、迷惑だと思っていることを悟らせずに彼の不機嫌を回避しようとしていることを知って不機

嫌になるのである。まったく、ややこしい。厄介きわまりない。

寅さんの不機嫌は、デヴィッド・グレーバーが「解釈労働」と述べたような労働を家族に押しつけることにほかならない。


いかなる場所でも女性たちは、あれこれの状況が男性の視点からはどのようにみえているか、休みなく想像するよう期待されている。それとおなじような期待は、男性にはほとんど起きない。この行動パターンが深く内面化されているがゆえに、女性たちがそのようにふるまわない様子がちらりとみえただけでも、多くの男性は、あたかもそれ自体が暴力行為であるかのように反応してしまうのである。(18)


言い換えれば、コミュニケーション能力の低さのしわ寄せを常に女性に背負わせる。これが彼の不機嫌の本質なのである。日本のある世代の男性に広く見られる性格であろう。

では、このような昭和的な男性性とその不機嫌は、過去のものとして批判すればそれで済むのだろうか。そもそも寅さんのような不機嫌がもし過去のものだと感じられるとして、それはどのような経緯をたどって過去のものになったのか。いやそもそもそれは本当に過去のものになったのか？

こういった疑問に一定の答えを与えてくれそうな映画は、ジェイムズ・L・ブルックス監督、ジャック・ニコルソン主演の『恋愛小説家』（一九九七年）である。ここでも私はナショナルな差異よりも、男性性をめぐるイデオロギーの共通性を優先して『男はつらいよ』とこの映画を並べてみたい。

『恋愛小説家』の主人公メルヴィンは、コミュニケーション能力が低く、他者への共感力が皆無で、ゲイや有色人種への偏見を隠しもせずにトラブルを起こしてばかりの恋愛小説家である。そんな彼が唯一心を開くのは、彼が常連であるレストランのウェイトレス、キャロルである。キャロルは気難しいメルヴィンと円滑なコミュニケーションを維持できる唯一の登場人物だ。メルヴィンとキャロルのあいだにはほぼ寅さんとさくらとのあいだの関係に等しい関係があるだろう。

『恋愛小説家』はかなり豊饒なテクストではあるのだが、ここでは最小限の要素の分析にとどめる。この映画のメルヴィンについて興味深いのは、彼の不機嫌な男性性のトラブルと、彼のコミュニケーション能力または他者の感情の想像力・共感力の欠如と、彼の「障害」、これら三つが一体のものとして扱われていることだ。メルヴィンは、強迫神経症を患って医者にかかっており、玄関の鍵を五回回さないと気が済まないとか、舗道のタイルの継ぎ目を踏めないといった症状を抱えている。ここで重要なのは、「一体のもの」というのが文字どおりの意味だということである。つまり、これら三つの要素（男性性のトラブル・コミュ力欠如・障害）が、そのどれが原因でどれが結果というわけではなく、同じものとして扱われているということだ。

この「一体性」は複雑な性質をこの映画に与えている。ひとつには、この映画のプロットの解決はまさにこの一体性が可能にしている。つまり、メルヴィンは最終的に、キャロルと結びつくことで異性愛的な（コミュ力も獲得した）男性性を完成させ、それと同時に障害を克服する（舗道の継ぎ目を踏めることでそれは表現される）。それらのうち、どれが原因でどれが結果なのかは、やはり分からない。異性愛的男性性とコミュ力と健常性は、一気に獲得される。

これについてはクリップ・セオリーを提唱するロバート・マクルーアが論じている。[19] マクルーアは、メルヴィンの「治癒」の背後では彼の隣人のゲイの画家サイモンと彼の「障害」（物語の途中で暴漢に襲われて障害を負う）が排除・忘却されていることを指摘する。非異性愛的かつ障害者である主体を排除することで、メルヴィンの男性性は完成する。そこに、強制的異性愛と健常者主義が一体となったイデオロギー（裏返せば、同性愛と障害を一緒くたに抑圧・排除するイデオロギー）を、マクルーアは見る。

だが、こういった議論は常に逆から見る（脱構築する）ことが可能である。メルヴィンの異性愛的男性性＋健常性は、サイモンという他者に投影・投射された非異性愛と障害の抑圧によってのみ可能になっている。そのような主体が、非異性愛と障害という裂け目を内包していることを、この映画は物語っているという見方もできる。

そのような視点から『男はつらいよ』を観なおしたとき、私にはどうしても引っかかる場面がある。一九六九年の『男はつらいよ』第一作で、笠智衆演じる「御前様」とその娘冬子が奈良で会う場面だ。そこでは、御前様が観光で訪れた寺の門のところで冬子の写真を撮るのだが、その足元に、後ろ脚をひきずって歩く犬が闖入するのだ。この場面の直後に二人は寅さんと出会い、寅さんは冬子と恋に落ちる。

この犬は、偶然に写ったものなのかもしれないが、「あえて画面から排除はしなかった」ようにも見える。つまりある程度の積極的な選択として残されたように見える。

ここから先はかなり大胆な想像である。この犬は、寅さんそのものである。正確に言えば、寅さんというキャラクターの非健常性の投影である。一九六九年という段階で、寅さんのような男性性は支配的なものだったという見方もあるだろう。彼のようにコミュ力が低く、不機嫌をまき散らすような男性性は。しかしおそらく、寅さんが映画のキャラとして人気を得たのは、彼がすでにあまりにも非標準的な男性だったからではないかとも考えられる。一九九七年の『恋愛小説家』のメルヴィンと同じように。そのような性質は、『男はつらいよ』では障害を抱えた犬に投射されているのではないか。ここで、シリーズ第一九作『寅次郎と殿様』の冒頭で、捨て犬に家族が「トラ」という名前をつけ、それが原因で寅さんがお約束のへそを曲げるシークエンスがあることを指摘することは無意味だろうか。

寅さんのような男性性は、今であれば「昭和」と言って笑って済まされるのかもしれない。しかし、そういった男性性に代わるものとして、コミュ力が高く、上機嫌で人当たりのよい「イクメン」が理想化されているのが現在のすべてであるとするなら、そのようなどこにもない理想像に乗ることのできない男性たちのルサンチマンとそこから生じるミソジニーに応答することはできなくなるだろう。それに応答するためには、寅さん的な男性性が排除という形で抱えもっていた障害と、ひょっとすると障害と「一体」のものであったかもしれないクィアネスを追い求めることは無意味だとは思えないのだ。

本論では、ポストフェミニズムという時代が、基本的にメディア化された＝媒介されたものであるという前提のもと、ポピュラーな映像作品におけるそのあり方を検討した。とりわけ本論が注目したのは、ジェンダーによって非対称な「感情の取り締まり（ポリシング）」のあり方であった。『アナと雪の女王』や『風の谷のナウシカ』におけるポストフェミニズム的女主人公たちにおいては、怒りや不機嫌を管理することと、彼女たちが自らの力を制御しプロットを解決へと導くことが一体のものとして表象された。一方で『男はつらいよ』と『恋愛小説家』の主人公たちは、コミュニケーション能力や共感力が低く、不機嫌を振りまく男性主体の典型であった。しかし、とりわけ『恋愛小説家』に顕著であったように、ポストフェミニズム時代においてはそのような主体性はもはや時代遅れのものとなった。男たちはコミュニケーション能力を獲得し、感情管理を学んで新たな男性主体を構築せねばならない。だが、そのような主体の構築が障害の「治癒」と一体のものとして表象されることは、ポストフェミニズム的男性主体が排除・抑圧したもののありかを指し示している。私が施した「犬」についての解釈がもし正しいなら、『男はつらいよ』にもそのような排除・抑圧の痕跡が見いだされた。そういった男性主体は、そのはじまりからクィア化され、非健常化されていたのだ。[20]

残された作業は、このすべての「土台」は何かを考察することである。私は、以上のような変化は後期近代の新たな資本主義の要請によるところが大きいと考えており、本論では使用しなかったが、新たな資本主義の生産体制の名称としてのポストフォーディズムという術語によってこの多くが説明できると考えている。アンジェラ・マクロビーは「ポストフォーディズムのジェンダーは女性である」と宣言した。[21] 私たちにはこの宣言の内容をさまざまな文脈において解明するという仕事が残されている。本論と、拙著『戦う姫、働く少女』ならびに本論の一部を加筆修正して収録した『新しい声を聞くぼくたち』（講談社、二〇二二年）はそのような解明の試みである。

注

（1） Angela McRobbie, *Aftermath of Feminism: Gender, Culture and Social Change*. Sage, 2008.

（2） Rosalind Gill, 'Postfeminist Media Culture: Elements of a Sensibility.' *European Journal of Cultural Studies*. 10 : 2 (2007), pp. 147-166.

（3） Rosalind Gill, 'Post-Postfeminism?: New Feminist Visibilities in Postfeminist Times.' *Feminist Media Studies*. 16 : 4 (2016), pp. 610-630. p. 621.

（4） シェリル・サンドバーグ『LEAN IN――女性、仕事、リーダーへの意欲』村井章子訳、日本経済新聞出版社、二〇一三年。

（5） Dawn Foster, *Lean Out*. Repeater, 2016.

（6） Sarah Banet-Weiser, *Empowered: Popular Feminism and Popular Misogyny*. Duke UP, 2018. Kindle.

（7） Rosalind Gill, 'Post-Postfeminism?: New Feminist Visibilities in Postfeminist Times.'

（8） Catherine Rottenberg, *The Rise of Neoliberal Feminism*. Oxford UP, 2018. Kindle.

（9） 菊地夏野『日本のポストフェミニズム――「女子力」とネオリベラリズム』大月書店、二〇一九年、を参照。

（10） Rosalind Gill, 'Post-Postfeminism?: New Feminist Visibilities in Postfeminist Times.' p. 618.

（11） Shelly Budgeon, 'The Contradictions of Successful Femininity: Third-Wave Feminism, Postfeminism and "New" Femininities.' Rosalind Gill and Christina Scharff eds. *New Femininities: Postfeminism, Neoliberalism and Subjectivity*. Palgrave Macmillan, 2011, pp. 279-292. p. 281.

（12）シェリル・サンドバーグ『OPTION B——逆境、レジリエンス、そして喜び』櫻井祐子訳、日本経済新聞出版社、二〇一七年、Kindle.

（13）Rosalind Gill and Shani Orgad. "The Confidence Cult(ure)." *Australian Cultural Studies*. 30 : 86 (2016), pp. 324-334.

（14）Sara Ahmed, *The Promise of Happiness*. Duke UP, 2010. Kindle.

（15）アーメッドはこの表象を肯定的なものとして捉え返している。ネオリベラリズムにおける「幸福産業」の重要性については、ウィリアム・デイヴィスの以下の文献も参照。William Davies, *The Happiness Industry: How the Government and Big Business Sold Us Well-Being*. Verso, 2016.

（16）非常に分かりやすい事例として、三〇歳前後のキャリアウーマンをターゲットとするウェブ情報誌『wotopi（ウートピ）』の記事「エマ・ワトソン系女子がやってきた！〝不機嫌〟じゃないフェミニストとどう付き合う?」（二〇一七年一〇月一一日）を参照。日本版ポストフェミニズムの好例であるが、そこでは現在のポピュラー・フェミニズムの騎手ともいうべきエマ・ワトソンが、それまでの「不機嫌」で「怒った」、「女らしさを否定する」フェミニズムからの解放をもたらす存在として称賛される。
https://wotopi.jp/archives/62864

（17）宮崎駿『風の谷のナウシカ５』徳間書店、一九九一年、五四—五五頁。

（18）デヴィッド・グレーバー『官僚制のユートピア——テクノロジー、構造的愚かさ、リベラリズムの鉄則』酒井隆史訳、以文社、二〇一七年、九九頁。

（19）Robert McRuer, *Crip Theory: Cultural Signs of Queerness and Disability*. New York UP, 2006.

（20）これと同型の議論が可能な映画が、『英国王のスピーチ』（二〇一〇年）である。河野真太郎「障害」「文化と社会を読む　批評キーワード辞典 reboot 第4回」研究社WEBマガジン『Lingua リンガ』
http://www.kenkyusha.co.jp/uploads/lingua/prt/19/keyword1905.html
（21）　アンジェラ・マクロビー『クリエイティブであれ——新しい文化産業とジェンダー』田中東子監訳、花伝社、二〇二三年、一五五—一五六頁。

第2章　ポストトゥルース、トランス排除と『マトリックス』の反革命
――もしくは、ひとつしかない人生を選択することについて

レッド・ピルを飲め

ウォシャウスキー姉妹（原語の発音に近づけるとウォチャウスキー姉妹）が監督した映画『マトリックス』（一九九九年公開）は、現代的な陰謀論の起源、というのが言い過ぎだとしても（言い過ぎであろうが）、それを論じる上での否応もない焦点となるだろう。

キアヌ・リーヴス演じる主人公トーマス・アンダーソンは、うだつのあがらない会社員であるが、ハンドルネーム「ネオ」の凄腕ハッカーという別の顔を持っている。ある日パソコンに入った謎のメッセージをきっかけに、彼は世界についての重大な真実を知ることになる。彼が導かれて出会ったモーフィアスという人物は、この世界は、機械の文明に支配された「本当の現実世界」において、機械たち（ＡＩたち）が作りあげた仮想現実だ、という真実を彼に告げる。現実世界においては、

人間は生まれた時から機械につながれ、意識はこの仮想現実（「マトリックス」と呼ばれる）にとらわれて、機械たちのための生体発電に利用されている。

モーフィアスはネオに青い薬（the blue pill）と赤い薬（the red pill）を提示して、選択を迫る。青い薬を飲めば、彼はモーフィアスとの面談のことは忘却し、もとの生活（仮想現実を現実だと信じる生活）に戻るだろう。赤い薬を飲めば彼は本当の「現実」へと目覚めるだろう。ネオは赤い薬を選び、自分の現実の身体に戻って、機械文明との戦いに身を投じることになる。彼らは現実世界だけではなく、マトリックスの中での「エージェント」たち（機械側がマトリックスに送りこんだプログラム）との戦いも繰り広げる。マトリックスは仮想空間であるがゆえに、物理法則や身体的限界を無視して戦うことが可能だ。三部作の第一作『マトリックス』では最終的に、ネオが死から蘇り、弾丸を空中で止めるといった不可能をなし遂げて、モーフィアスが信じるように人類を救う「救世主（the One）」であることが示唆されて終わる。

『マトリックス』が現代における陰謀論の根源のひとつだというのは、この作品が二〇一〇年代のアメリカで隆盛したいわゆる「インセル（incel）」およびその男性至上主義のイデオロギーにインスピレーションを与えたからである。中道左派のシンクタンクであるニュー・アメリカは「ミソジニー的なインセルたちと男性至上主義」というリポートを公開し、「赤い薬（レッド・ピル）」が男性至上主義者たちの符丁となっていることを述べている。[1] インセルとは involuntary celibates（不本意なる禁欲独身主義者）の略であり、典型的には若年層の白人男性・異性愛者であるが、恋愛やセックスに縁がなく、主にオンラインのフォーラムでコミュニティを作って、自分たちの境遇を女性嫌悪（ミソジニー）へと拗らせているような人物たちの総称である。

「レッド・ピル」はインセルの団体のひとつの名前にまでなっている。この名称を通じて、ミソジニー的な感情と陰謀論が結びついていることが理解できるだろう。上記のニュー・アメリカの報告書の言葉を借りれば、「彼ら〔インセルと男性至上主義者たち〕は、社会的、経済的、そして性的に、男性は女性の（そしてフェミニストたちの）権力と欲望のなすがままになっているという「真実に」目覚めている」のである。そして、「「レッド・ピル」的な用語法は男性至上主義者のフォーラムで育ち、より広く極右や白人至上主義のグループによって採用され、反フェミニズムのような男性至上主義の立場としばしば重なる、彼ら独自の目覚め、陰謀論的な世界観を説明するのに採用された」。

レッド・ピルはこのように、陰謀論的なインセルや男性至上主義の想像力を刺激し、さらにはトランプ主義的なポピュリズム右翼や白人至上主義へとつながっている。

『マトリックス』のもうひとつの顔

ウォシャウスキー姉妹はこのような受容を苦々しく思っていることだろう。なぜなら、『マトリックス』をめぐる性の政治学には、まったく異質な側面があったからである。

作品公開当時、ウォシャウスキー姉妹はウォシャウスキー兄弟とクレジットされていた。ラリー&アンディ・ウォシャウスキーがそれぞれトランスセクシュアルであることを明らかにし、ラナ&リリー・ウォシャウスキーと改名したのは二〇一〇年代に入ってからであった。日本のメディアではいまだに二人を「兄弟」と呼ぶミスジェンダリングが横行しているのだが。

そこで当然に起こってくるのは、作品と監督たちのセクシュアリティとの関係についての疑問である。『マトリックス』にトランス的な読解の余地はあるのか?

この疑問にリリー・ウォシャウスキー自身が答えたのが、Netflixオリジナルのドキュメンタリー映画『トランスジェンダーとハリウッド――過去、現在、そして』(二〇二〇年)においてであった。その中で彼女は、「私がトランスとしてカムアウトすると、人びとは私の過去作にトランスの物語を適用しようとしました……私は『マトリックス』を具体的にトランスの物語としては作りませんでしたから。私にとってびっくりすることのひとつは、私が最終的に感じた、自分自身になることができないという底の方で煮えたぎっている怒りでした」と述べている。また、『トランスジェンダーとハリウッド』に合わせてYouTubeで公開されたリリーのインタビューでは、トランス的読解が出てきたことをより明示的に歓迎している。[2] 同じ動画では、登場人物のスウィッチが、元々は現実世界では男性、マトリックス内では女性のキャラクターとして構想されたとも述べられている。『マトリックス』はトランス映画である、と断言できるかどうかは別として（上記の監督のあいまいな証言は、ある種の「強い」読解へと作品を固定しないためには仕方のないものだっただろう）、この映画は確かに「自分自身になることができない」という違和感の経験をベースとしており、そこからトランス的読解に開かれているともいえる。

だとするならば、ここには大きな問題がある。インセルたちによって聖典化された『マトリックス』と、トランス映画としての『マトリックス』。政治的には相反するように見えるこの二つの『マトリックス』を、どう考えればいいのだろうか？　どちらかが誤読であるという以外に？　最悪の可能性は、この二つの『マトリックス』読解が同じ、通底する論理の上に成り立っているというものであろう。それはつまり、陰謀論的な男性至上主義と、トランスセクシュアルの論理が、ある種の同じポストモダニズムの上に成り立っている可能性、ということになるだろう。本論の目的は、それに反論することである。

ただし、反論したいのではあるが、一作目の『マトリックス』が、インセル的読解を呼び込むものであることは否定できない。それは現実と仮想現実との関係という設定だけではなく、この作品における「信念（信じること）」の危うい位置づけに見て取れる。そしてそれに並ぶ『マトリックス』の重要モチーフは「選択」である。

信念はこの作品において二つの意味を持っている。ひとつはどの「現実」を本当の現実だと信じるか、という問題系だ。そしてもうひとつは、ネオが「救世主」であるのかどうかということをめぐる信念の問題である。モーフィアスは「オラクル（予言者）」の予言に従って、ネオが「救世主」であると信じる。だがそのオラクルはネオに、彼は「救世主」ではないと告げる。

ただし、ここには疑念が残る。オラクルの予言には、先ほど述べた「選択」の問題が絡んでくるのだ。オラクルはネオに突然「花瓶のことは気にしないで」と言う。そう言われたネオは「どの花瓶？」とふり返って、そのために肘で花瓶を落として割ってしまう。これによって、「予言の言葉そのものが人間の行動を変化させ、未来を変えてしまう（この場合は予言を成就させてしまう）」というお馴染みのパラドクスが設定される。そしてその先に置かれるのが「選択」の問題である。オラクルは、ネオはいずれモーフィアスとネオの命のどちらかを取る選択を迫られるだろうという「予言」をする。

実際、ネオはそのような選択を後に迫られることになるが、結局はネオ自身の「力」への目覚めによってその二者択一は打ち消され、モーフィアスとネオは両者とも生きのび、『マトリックス』は、ネオは一応「救世主」であったという体裁で結末を迎える。

ここでは結局、予言の言葉は真実の水準にあるものではなく、その言葉を受けた人間の行動を変容させるものにすぎない、そして何が真実になるのかはその人間の選択を通じた信念に左右される、という論理が優勢になっている。

ここには「現実とは真実の問題ではなく、信念の問題であり、どの信念を選択するかという問題である」という、かなり粗雑なポストモダニズム的相対主義が見て取れるだろう。前節で論じた陰謀論的な男性至上主義は、「男性が女性やフェミニズムに従属して苦しんでいる」という「信念」を選び取るために、そのような相対主義を利用している。そして、問題は、同程度の粗雑さで理解されたポストモダニズムはまた、トランスセクシュアルの論理（そしてより広い、近年のセクシュアリティの論理）としても曲解されてしまっていることである。私たちは、このつながりを解除していかなければならない。

ポストモダニズムとポストトゥルース

『マトリックス』の二面性は、ポストモダニズムをめぐる近年のポピュラーな論争において確かに生き残っている。

ミチコ・カクタニの『真実の終わり』[3]は、現在のアメリカのポストトゥルース状況がポストモダニズム思想の帰結だと断じて論争を呼んだ。また、これに先行して、同様の結論を打ち出したのはリー・マッキンタイアの『ポストトゥルース』[4]であった。前者はかなり一般的な読み物、後者はよりアカデミックな、テーマ別概説の叢書の一冊である。

私のこの二冊への批判を要約しておくと、まず問題なのは、二冊ともポストトゥルース状況の記述としては説得力があるものの（直感に逆らわない記述であり、新しさがないということでもあるが）、肝心の結論で、つまりポストトゥルースにいかにして抵抗するかという点で、トーンダウンしてしまって特に説得的ではないことだ。例えばマッキンタイアは、一旦は口を極めて批判したポストモダニズムを（「ポストモダニズムを動機づけた本来の政治的見解はまったくの不発に終わった」［一八七頁］）、結論で結局はもう一度召喚するという一貫性のなさを呈している（「形成されてきたものを疑う「脱構築」的な知性はそこ［マッキンタイアの結論である、情動のデトックス］ではこの上なく有効に機能するはずだ」［二五三頁］）。

この弱さは、私の見解では、両者のポストモダニズムの扱いに起因している。問題の多い定義だけではなく、ポストトゥルースの系譜としてポストモダニズムを位置づける手つきの全体である。両者は、ポストトゥルースの解放作用を捉えそこなっているし、またポストモダニズムをあまりにも「短い」時間枠でしか見ることができていない。

カクタニによるポストモダニズムの定義を見てみよう。その定義は非常に簡潔である（簡潔さこそが問題なのだが)。

学界における公式見解の失墜に中心的な役割を果たしたのは、ポストモダニズムとして広く括ることのできる思想の集まりだった。それはフーコーやデリダといったフランスの思想家(彼らの思想はドイツの哲学者ハイデッガーとニーチェに負っている)を通じて、二〇世紀後半に米国の大学へ到達した。ポストモダンの概念は、物語の伝統を覆し、ジャンルの境界や、大衆文化と高尚な芸術との境目を破壊した。それは、文学、映画、建築、音楽、絵画において解放的であり、時には革命的で、トマス・ピンチョン、デヴィッド・ボウイ、コーエン兄弟、クエンティン・タランティーノ、デイヴィッド・リンチ、ポール・トーマス・アンダーソン、フランク・ゲーリーといった芸術家の広範囲にわたる革新的な作品に繋がった。しかし、ポストモダンの理論が社会科学や歴史に応用されるようになると、あらゆる種類の哲学的含意が意識的・無意識的に表に現れ、ついには私たちの文化において不規則な動きをするようになった。(No. 496)

また、ポストモダニズムの理論は、「人間の知覚から独立して存在する客観的実在を否定し、認識が、階級、人種、ジェンダー等のプリズムによってフィルタリングされている」と主張し、「客観的実在が存在する可能性を否定し、真実という考えを視点や立場の概念に置き換え」て、「主観性の原理を尊重する」と要約される（No. 505）。

カクタニはこのような意味でのポストモダニズムをトランプ主義に代表される現在のポストトゥルース状況の思想的「源流」であるとした上で、現在のポストトゥルースや陰謀論の現状を記述していく。

マッキンタイアの議論も同型である。世界はテクストでしかない、真実は視点の問題であるという主張へと切りつめられる限りにおいて、ポストモダニズムはポストトゥルースの源流だ、というものだ。マッキンタイアの場合、進化論を否定する「インテリジェント・デザイン説」が直接にポストモダニズム思想の影響を認めていることから、このつながりを「実証」する。

確かに、ポストモダニズムをこのように定義すれば、それがポストトゥルースに資したというのは間違いではないだろう。だが、二人のポストモダニズムの定義は単純化され、限定的にすぎる。それは、ポストモダニズムの解放的な側面と同時に、ポストトゥルースや陰謀論に対抗するための資源としてのポストモダニズムを恣意的に排除している。

その排除は、ジェンダー・セクシュアリティの問題に注目することで浮き彫りになるだろう。先ほどのカクタニからのブロック引用にじつのところそれは如実に表れている。カクタニがポストモダニズムの解放性・革新性を認めるのは、ここに列挙された固有名で表現されるような文化・芸術の領域のみにおいてである。カクタニによれば、文化・芸術の領域に留まっていればよかったものが、「社会科学や歴史」に応用されたことが悲劇の始まりであった。ここで列挙されている名前がすべて男性のものであることは単なる偶然であろうか？　カクタニはここで、文化的・知的領域について二重のジェンダー的排除を行っている。ひとつは文化・芸術と「社会科学や歴史」の区分のうち、ポストモダニズムの貢献を前者にしか認めないことで文化・芸術を非男性化すること、そしてもうひとつはその文化・芸術の領域からさらに非男性性を排除することである。そして、二つ目の引用にあるように、「ジェンダー」は、客観的実在を否定するための「フィルター」のひとつに格下げされる。

ここで述べたいのは、おそらく自らをリベラルと位置づけているはずのカクタニが、ジェンダーの論点では非常に保守反動的に見える、ということである。このことは、カクタニがポストモダニズムを批判するあまりに「事実・真実」と「虚構」の素朴な区分を再導入していることと深い関係にある。だが、まずは大西洋を渡って、カクタニ＝マッキンタイア的な、リベラルなポストモダニズム批判がまったく違う様相を帯びることを見ていこう。

「ポストモダン教育」とトランス排除

大西洋を渡ったイギリスにおいても、トランプ主義に負けないポストトゥルースの嵐が吹き荒れたように見える。二〇一六年のＥＵ離脱を問う国民投票においては、英国独立党のナイジェル・ファラージ、そしてその後総理大臣を務めたボリス・ジョンソンが、真実そっちのけのキャンペーンを行ったことが記憶に新しい。ＥＵにイギリスが拠出している金額を誇張し、その金額をＮＨＳ（国民医療サーヴィス）に使おうと訴えるメッセージでラッピングされたバスは、その象徴だろう。

だがイギリス保守党の政治はそれだけでは語れない。二〇二〇年一二月一七日に、保守党政権の女性・平等担当大臣であったリズ・トラスは、「政策研究センター」において「平等のための新たな戦い」と題したスピーチをした。[5] このスピーチがとりわけ学問コミュニティで話題になったのは彼女がミシェル・フーコーの名を挙げて、一九八〇年代の教育を批判したためである。

一九八〇年代にリーズで総合中等学校の生徒だった私は、貧しい出自の子供たちが見捨てられるいっぽうで市議会は平等性にリップ・サービスをしているのに驚いたものでした。

私たちは人種差別主義や性差別主義について教えられるいっぽうで、すべての子供たちが読み書きをできることを確実にするためには、ほとんど時間が費やされていなかったのです。

そういった思想は（フーコーによって先鞭をつけられた）ポストモダニズムの哲学から生じたものでした。それは個人やその努力よりも、社会的な権力構造やラベルづけを上に置くものでした。

この思想の学派においては、エビデンスのための余地はまったくありませんでした。というのも客観的な視点というものはあり得ず、真実や道徳はすべて相対的なものだったからです。[6]

ある意味でトラスは、旧来の認識に舞い戻っている。ポストモダニズムは多文化主義やフェミニズムを推し進める左派の思想である、という主張は、ポストモダニズムを左派の「正しい」位置に置いている。右派ポピュリズムがそれを我が物としてしまったアメリカとは対照的である。だが、ポストモダニズムを「客観的な事実」を否定する相対主義だとする粗雑な観点においては、カクタニとトラスは一致している。二人は「事実／真実」と「虚構／虚偽」の二項対立を再導入する。トラスが引用以外の部分でもくり返し「エビデンス」を強調することは症候的だ。

さて、そろそろ核心に触れよう。少なくともイギリスの文脈では、この「事実／虚構」の区分の再導入は、トランス排除の動きの基礎にあった。これについてはピアス、エリカイネンおよびヴィンセントによる「TERF（ターフ）戦争――序文」に詳しいのでそれを参照して素描する。[7] イギリスで反トランスの大きなバックラッシュが起きたのは、二〇一七年に時の総理大臣テリーザ・メイが、二〇〇四年成立の「ジェンダー認定法（Gender Recognition Act；GRA）」を改正しようとしたことをきっかけとした。ジェンダー認定法は出生証明書の性別記載を変更することを可能にした法律である。この法律に基づく性別変更手続きは過剰に医療化され、手続きが煩雑かつプライヴァシー侵害的であった（p. 678）。改正案はトランス当事者の自己決定権を強めることを主旨としたが、これに対して強いバックラッシュが生じた。その中心人物の一人が、ほかならぬリズ・トラスであった。トラスは二〇二〇年四月二二日のスピーチで、法改正におけるプライオリティとして「単一の性のための空間の「保護」」「制度において適切な抑制とバランスを維持すること」「一八歳以下を、「彼ら／彼女らが下すかもしれない決断」から「守る」こと」を挙げた。トランスを空間的・制度的に排除もしくはゲートキーピングし、さらに一八歳以下から性の自己決定権を奪うという方針である（p. 679）。

トラスのポストモダニズム観と、反トランスの姿勢には深い結びつきがあるだろう。ピアスらは、直接にトラスについてではないが、「ジェンダー・クリティカル・フェミニスト」たち（これはTERF、つまりトランス排除ラディカル・フェミニスト――これは批判的名称――たちの自称である）が、「ポストトゥルース」状況とトランス側の主張を結びつけてきたことを指摘している（p. 685）。

返す刀で、反トランスのフェミニストたちは、性をめぐる生物学主義・本質主義を再導入する。とりわけスポーツ選手の性別問題で先鋭化するように、そういったフェミニストたちは生物学の

「科学的客観性」に訴えることで女性のカテゴリーからトランス女性を排除しようとする（pp. 688-689）。

言うまでもなく、このような生物学主義・本質主義は、ジュディス・バトラーの『ジェンダー・トラブル』以来、フェミニズムとクィア理論が批判してきたものである。カクタニ、マッキンタイア、トラスが敵視する「フーコーやデリダのポストモダニズム思想」を受けて編み上げられた理論が、である。

ここまで記述してきた粗雑なポストモダニズムとクィア理論は似ても似つかぬものである。それどころか、ポストモダニズムを陰謀論的に、素朴な相対主義として理解した際に再導入される現実／虚構の区分をこそ、クィア理論は批判したのである。セックスとは生物学的な性であり、ジェンダーとは社会的な性であるという区分が構築される際に忍び込む権力をこそ、それは問題としてきた。おそらくそのように述べた瞬間に、カクタニやトラスのような人物たちは、それ見たことか、クィア理論は「すべては権力＝視点の問題＝虚構」だと言っているではないか、と主張するだろう。結局のところこの二人のようなポストモダニズム理解は、権力をめぐる主意主義によりかかっている。彼女らの粗雑なポストモダニズムの核心には、権力は虚構であり、主意主義的に変更可能だという観念がある。彼女らは権力の物質性＝非人称性の圧倒的な実在を、それが人間の意図や選択で左右できるようなものではないことを、認識できていない。それは、デリダが「テクスト外なるものは存在しない」と有名にも言った際の「テクスト」の物質性が、人間の意図や選択を受けつけるようなものではないことと同じである。[8] 反トランス論者の間違いもそこにある。性は、誤解を恐れずに言えば、文字を書き換えるように書き換えることなどできない、圧倒的な物質的存在である。だがそれが意味するのは、それが虚構と対置される意味での生物学的・客観的実在だということではない。性はさまざまな権力の交差点に現象するものであるが、それが意味するのは、性を主意主義的に変えることができるということではなく、その正反対だ。バトラーがパフォーマティヴィティーの理論を構築する際に目指したのは、そのような主意主義を徹底的に否定した上で、私たちは性について何ができるのか、何をしているのかを問うことだった。

革命なき革命

最後に問うてみたいのは、陰謀論者たちは『マトリックス』三部作の全体、とりわけ第三作『マトリックス レボリューションズ』をどう了解するのだろうか、ということである。副題のレボリューションズ＝革命が含意するのは、機械に支配される人間たちによる革命、つまり権力の転覆だろう。だが、作品の結末はこの副題を裏切っている。

結末を要約するならこういうことになる。マトリックスの世界はこれまでも定期的にバグが生じて危機に陥ってきた。今回のバグはウイルス化したエージェント・スミスである。オラクルや救世主は、不安定化したマトリックスのシステムをアップデートするための存在だったことが明らかになる。エージェント・スミスの危機を解決する（彼を倒す）ことができるのはネオだけである。ネオはマシン・シティにおもむき、機械文明の統括者デウス・エクス・マキナと対峙し、「取引」をもちかける。それは、スミスを倒してマトリックスを再生させる代わりに、現実世界の、ザイオンという街で生き残っている人間たちには手を出さない、という取引である。デウス・エクス・マキナは取引を受け容れ、ネオは命と引き換えにスミスを倒し、マトリックスは崩壊を免れて現実世界の人間たちも救われる。

これは、革命どころか反革命的な、現状維持的な結末である。この結末の後、マトリックスにつながれた人間の多くが解放される可能性は示唆されるものの、マトリックスが、そしてそもそも機械の文明が存続するためには、人間がエネルギー源としてマトリックスにつながれていることは必須である。ネオが選択するのは、レッド・ピルを飲んだ人間たちがほどほどに生き残り、そしてマトリックスという仮想現実をつくりだす権力（機械文明）も存続させるというどこまでも中庸な選択肢である。

だが、そもそもネオに、また機械の側に、選択肢はあったのだろうか。前半で述べた通り、『マトリックス』の大きなモチーフのひとつは「選択」のテーマである。これについて『マトリックスリローデッド』で、興味深いやりとりがある。「エグザイル」（マトリックス内に存在する不正プログラム）のひとりであるメロヴィンジアンは、「すべては選択から始まる」というモーフィアスの言葉に対して、「いや。違う。選択は幻想だ。力を持つ者と持たざる者との間に生み出された幻想だ」と返す。物語内の位置づけとしては、このメロヴィンジアンの応答は否定されるべきものとして述べられているのかもしれない。だが、本論で述べてきたことからすれば、この台詞は案外に真実に触れているとも言えそうだ。選択、つまり主意主義的な意図は幻想である。それは権力の作用によって生み出された幻想である。だが、モーフィアスも同じくらい正しいと考えるべきだろう。選択の幻想はそれでも、圧倒的な現実である。逃れ得ない現実である。

結末においてネオには選択肢がなかったと言うことは簡単だ。「取引」を持ちかけない限り、すべての破滅しか待っていなかったのだから。だが、ネオは一つしか存在しない選択肢を「選択」する。彼は一つしかない――シンギュラーな――生を選択するのだ。もし性を「選択」するという行為がありうるなら、それはそのような逆説に満ちた「選択」になるだろう。つまり私たちは、シンギュラーな性を、選択不可能な性を選択することとはいかなることなのかを考えなくてはならないだろう。

『マトリックス』は、本論で批判してきた粗雑なポストモダニズムを拒絶する。ネオの「選択」は、人間の生の圧倒的な有限性を指し示しているのだ。(9)

注

（1）Megan Kelly, Alex DiBranco, and Julia R. DeCook, "Misogynist Incels and Male Supremacism: Overview and Recommendations for Addressing the Threat of Male Supremacist Violence." *New America.* https://www.newamerica.org/political-reform/reports/misogynist-incels-and-male-supremacism/（二〇二三年四月一五日閲覧）

（2）"Why *The Matrix* Is a Trans Story According to Lilly Wachowski—Netflix." https://www.youtube.com/watch?v=adXm2sDzGkQ（二〇二三年四月一五日閲覧）

（3）Michiko Kakutani, *The Death of Truth.* William Collins, 2019.〔引用はミチコ・カクタニ『真実の終わり』岡崎玲子訳、集英社（Kindle版）、二〇一九年より〕

（4）Lee McIntyre, *Post-Truth.* The MIT Press, 2018.〔引用はリー・マッキンタイア『ポストトゥルース』大橋完太郎監訳、人文書院、二〇二〇年より〕

（5）全文は以下のウェブサイトで読むことができる。https://capx.co/the-new-fight-for-fairness-liz-truss-speech-at-the-centre-for-policy-studies/（二〇二三年四月一五日閲覧）また、このスピーチについては、イギリスのジャーナリストであるオーウェン・ジョーンズによるジュディス・バトラーへのインタビューにおいても話題になっている。https://www.youtube.com/watch?v=tXJb2eLNJZE（二〇二三年四月一五日閲覧）

（6）このトラスのスピーチは、ナンシー・フレイザーとジュディス・バトラーの間に戦わされた「承認と再分配」をめぐる論争を巧みに利用しているようにも読める。トラスは現在の左派が「承認」の政治

（性的ならびに民族的なアイデンティティの政治）のみに傾注しており、「再分配」の政治（階級政治）を等閑視しているという批判を行っていると言い換えることもできるからだ。「承認か再分配か？」という問題は、確かにいまだに解決済みのものとは言えないし、新自由主義が深化するにつれてその深刻の度合いを深めているとも言える。シンジア・アルッザ、ティティ・バタリャーチャ、ナンシー・フレイザーの『99％のためのフェミニズム宣言』（惠愛由訳、人文書院、二〇二〇年）はそのような状況へのマルクス主義／社会主義フェミニズムによる介入である。「承認と再分配」論争については Nancy Fraser, *Justice Interruptus: Reflections on the "Postsocialist" Condition*. Routledge, 1997 および Judith Butler, "Merely Cultural?" *New Left Review*, 227 (1998), pp. 33-44 を参照。

（7） Ruth Pearce, Sonja Erikainen, and Ben Vincent. "TERF Wars: An Introduction." *The Sociological Review Monographs*. 2020, Vol.68 (4), pp. 677-698.

（8） Jacques Derrida, *Of Grammatology*. Trans. by Gayatori Chakravorty Spivak, Johns Hopkins UP, 2016. Kindle. p. 172.

（9） この『マトリックス』の読解は、二〇二一年三月に公開された『シン・エヴァンゲリオン劇場版』とも響き合うだろう。そもそも一九九五年にテレビシリーズが放映開始された『新世紀エヴァンゲリオン』は、主人公たちの属する組織の上部がマッチポンプ的に戦いを生み出しているかもしれないという陰謀論的な世界観がベースになっていた。『シン・エヴァンゲリオン』はそのような世界観と決別し、「現実」を選び取る方向を指し示す。

補論　『エブリシング・エブリウェア・オール・アット・ワンス』とマルチバースの「真実」

『マトリックス』が両義的な形で提示した事実と虚構をめぐる問題は、近年のエンターテイメント映画においては「マルチバース」の隆盛に引き継がれている。もっとも目立つところでは、マーベル・シネマティック・ユニバース（MCU）と名づけられた、マーベルのスーパーヒーロー映画の統一的な世界観は、そのフェーズ4以降（現在はフェーズ5が進行中）は「マルチバース・サーガ」と呼ばれ、並行世界の間を行き来する形で物語が紡がれつつある。

このマルチバースという設定は、ある面では『マトリックス』のアップデートと言えるだろう。目の前の現実のみが唯一の現実ではないということへの「覚醒」は、ある種のイデオロギーの批判になりえつつ、陰謀論的な世界観にもつながるという意味で。

MCUで、マルチバースと陰謀論的世界観をもっとも明確に結びつけたのは『スパイダーマン：ファー・フロム・ホーム』（二〇一九年）から『スパイダーマン：ノー・ウェイ・ホーム』

（二〇二一年）への流れだっただろう。ただしこの場合は、ポストトゥルース的な政治に対して、マルチバースが「真実」として現れるという形だが。『ファー・フロム・ホーム』では、マルチバースの平行世界からやって来たというスーパーヒーローの「ミステリオ」（＝クエンティン・ベック）が、じつはスターク・インダストリーズ（アイアンマン＝トニー・スタークの企業）からかつて解雇されて逆恨みをした人物であり、彼はドローンと立体映像を使ってフェイクの現実を作りあげていたということが明らかになる。物語の結末ではベックはもちろん倒されるが、彼が仕込んだフェイク映像によって、スパイダーマンの正体はピーター・パーカーであり、ヒーローのミステリオ＝ベックは彼に殺されたと人びとは信じこんでしまう。

このように、ポストトゥルース的な現代政治を明らかに意識して作られた『ファー・フロム・ホーム』の結末での状況は、その次の完結作『ノー・ウェイ・ホーム』では、「マルチバースは実在した」という形で解決される。ピーターは彼がスパイダーマンであることを世界の人びととの記憶から消去するようドクター・ストレンジに依頼するのだが、その魔術が暴走してマルチバースへの扉が開き、なんと『スパイダーマン』の過去シリーズの悪役やスパイダーマンたちがこの世界に召喚されてしまうのだ。

『ファー・フロム・ホーム』は一見、前作でベックが仕掛けたフェイクを「マルチバース」という「真実」によって解消しようとするように見える。だが、そこで行われる操作とは、過去の（別の役者が演じており、基本的には無関係の別世界だと了解されていた）『スパイダーマン』シリーズがマルチバースだった、というある種の歴史改変であり、メタフィクション的な――ご都合主義的とも言える――操作なのである。ＭＣＵが乗り出しているマルチバースという設定は、下手をすれば作り手の恣意でなんでもできてしまうような、それこそ「オルタナティヴ・ファクツ」に塗り固められたポストトゥルース的な世界観である。

第2章で述べた通り、二一世紀に濃度を増してきているこの世界観に最初に触れたのは『マトリックス』シリーズだったわけである。

ダニエルズ（ダニエル・クワンとダニエル・シャイナート）監督の『エブリシング・エブリウェア・オール・アット・ワンス』（二〇二二年／日本公開二〇二三年）は、一言で言えば、このマルチバース的な世界観がポストトゥルース的なニヒリズムへと飲み込まれないためにはどうすればいいのか、という試みであり、それは見事に成功したと私は考えている。そしてそれはまた「選択の幻想」という圧倒的現実（つまり、私たちは自分の意図で選択をしているという幻想を抱かされているが、なおかつそのようにして選択していることは圧倒的な現実であること）をいかに生きるか」という『マトリックス』の問いへの答えともなっている。

主人公のエヴリン・ワン・クワンは中国からの移民で、コインランドリー経営でなんとか生活をしている。その日、エヴリンは父の誕生日と春節祝いのパーティーの準備をしながら、コインランドリーに入った歳入庁の査察の準備のためにてんてこまいである。（ちなみに、あまり指摘がないようだが、この作品はヴァージニア・ウルフの『ダロウェイ夫人』が下敷きになっていると読める。『ダロウェイ夫人』は、主人公クラリッサ・ダロウェイがその日の夜のパーティーの準備をしていること、物語のアクションはその一日で完結し、夜のパーティーがクライマックスとなること、これまでの人生の選択についてクラリッサが思い悩む物語であること（あり得た人生のひとつは同性愛者としての人生であること）、新しい価値観を持った娘との関係に焦点が当たることなど、共通点が多い。監督がこれに触れている記述や証言は見つかっていないが、「今夜の私のパーティーに来る？」という『ダロウェイ夫人』と同じ台詞が前半に配置されていることからも、意識的なものである可能性が高い。）

査察の前に、エヴリンの夫ウェイモンドの意識が何者かと入れ替わり、エヴリンは奇妙なデバイスを付けられ、査察中に靴の左右を入れ替えろといった奇妙な指示を受ける。そのウェイモンドは、他の平行世界のウェイモンド（最初にマルチバースのジャンプを開発した世界アルファ・ユニバースに住む、アルファ・ウェイモンド）であり、すべてのマルチバースは現在、ジョブ・トゥパキという人物によって崩壊の危機にある、そしてそれを止めることができるのはエヴリンだということを告げる。別のマルチバースの自分の意識にアクセスするには、「最強の変な行動」を取る必要がある。エヴリンは、カンフーの達人、歌手、曲芸的な鉄板焼のシェフなどの別のマルチバースの自分の能力を使って戦うことになる。

ジョブ・トゥパキとは、アルファ・ユニバースのエヴリンの娘ジョイであることが明らかになる。アルファ・ジョイはジャンプ能力を加速させてあらゆる世界を同時に経験する境地にまで達してしまっている。そのような境地に達したジョイは、ある日退屈がてらにベーグルの上に「あらゆるもの」を載せたのだという。そしてベーグルに「あらゆるもの」を載せてみると、それが「真実」になったのだという。真実とは何かと問うエヴリンにジョイは答える。「すべてどうでもいいってこと（Nothing matters）」。すべてを載せたベーグルは真っ黒のブラックホールまたは特異点となり、すべてのマルチバースを飲み込もうとしている。エヴリンはそれに対して戦わなければならない。

このアルファ・ジョイとの戦いは、「この」世界のジョイとの母娘関係の軋轢と平行関係にある。ジョイは、ガールフレンドのベッキーをエヴリンが「友だち」と紹介したことに腹を立てており、二人の母娘関係は危機を迎えている。

アルファ・ジョイのベーグルとはつまり、マルチバースの果ての虚無、ニヒリズムの象徴である。あらゆることを経験し、あらゆることが経験可能、交換可能になった先には価値の無化、虚無がある。これはまさにニーチェが述べた意味でのニヒリズム、「価値観の価値」の崩壊だ。ただし、この作品はニーチェの述べる、神が死んだ世俗的な近代の問題であると同時に、もう少し時間の尺度を短く取って、二一世紀的なニヒリズムの問題であると考えてもよい――というよりそう考えるべきだろう。[1] その限りにおいて、この作品は『マトリックス』が提示した問題へのひとつの答えになっているのだ。

ではこの作品はどのような「答え」を出しているだろうか。当然、ここまで説明したあらすじの先には母と娘の和解があり、同性愛というこの家族にとっては新たな関係性の受け容れがあるということは容易に推測ができるし、映画は大筋においてはそのように終わっている。そこから、この作品の家族主義を批判する声も聞こえる。

その批判は間違いではない。他のほぼあらゆるハリウッド映画にその批判が当てはまるのと同程度には、間違いではない。ここではもう少し弁証法的に作品を見ていく努力をしたい。弁証法的に、というのは、あらゆる作品にはそれが対峙するイデオロギー的「場」というものがあり、それに対するどのような否定や肯定の関係を作品が切り結んでいるかを考える、ということだ。ある作品の限界を指摘することは、その作品の価値を単に毀損(きそん)するためではなく、達成を測るためであるような作品との向き合い方をすることなのだ。

私は、この作品が「価値観の価値」の下落とニヒリズムに、ある種のケアの倫理と「他者への愛」によって応えていることを、ひとつの達成として評価したい。エヴリンは結末近くで、平行宇宙からやってきた敵たちを、武力によって制圧するのではなく、その敵たちに「あり得た人生」を与えることで無力化していく（そのようなケアする戦い方を、彼女が夫のウェイモンドから学ぶという点は、男性学的に興味深い点である）。

重要なのは、そのようなケアと愛の行為を通じて、エヴリンが「ひとつしかないこの生」を愛することを学ぶ、ということである。しかもそれは、マルチバース的ニヒリズムの反動としての、自分だけの価値への引きこもりとは異質な、他者への開かれをともなった愛である。これについて重要なのは、エヴリンと、歳入庁の強権的な窓口の役人であるディアドラ・ボーベアドラとの関係である。彼女は当初は、意地悪な役人で悪役であり、別の平行宇宙の彼女は恐ろしい戦闘力を持ったエージェントである。そんな彼女と対峙した際に、エヴリンが「ジャンプ」をするために行えと命じられる「変な行動」とは、ディアドラに「愛してる」と（心から）言うことである。これは、当初は単にナンセンスな笑いの場面なのだが、別の平行世界（人類の指がソーセージになっている世界）ではエヴリンとディアドラがパートナー関係になっていること、そして「この」世界のディアドラが最終的にコインランドリーの差し押さえを思いとどまるのが、かつて夫に離婚された自分とエヴリンの境遇（ウェイモンドもエヴリンに離婚を切り出そうとしている）との間の共通性に気づいたからだったといったことが明らかになるにつれて、最初の「愛してる」が別の意味を付与されていく。結末において、愛し合い、憎み合い、戦い、抱擁しあうさまざまな平行世界のエヴリンとディアドラの間に、愛と呼ぶしかない何かが生ずる。敵でさえ愛すること、敵を愛すること。これは、ニヒリズムの反動としての排他的で部族主義・家族主義的な愛とは異なる。それはニヒリズムを通り抜けて獲得された、他なるものへの愛なのである。

注

（1）これについてはウェンディ・ブラウン『新自由主義の廃墟で――真実の終わりと民主主義の未来』（河野真太郎訳、人文書院、二〇二二年）の特に第五章、ならびに本書第3章を参照。

第3章　新自由主義、宗教右派、ロスジェネ
――何が銃撃事件容疑者を生んだのか

安倍晋三銃撃事件

二〇二二年七月八日、奈良県奈良市の近鉄大和西大寺駅前。参議院選挙のための街頭演説をしていた元総理大臣の安倍晋三が、銃撃を受けて死亡した。容疑者の男は当時四一歳であった。銃撃事件そのものの衝撃に加えて、襲撃者の母が旧統一教会（現世界平和統一家庭連合）に入会して多額の献金をしており、そのため襲撃者が安倍晋三と旧統一教会との浅からぬ関係に恨みを抱いていたことが、さらなる衝撃をもたらした。[1] そして、またさらなる衝撃は、旧統一教会が自民党を中心とする政治家たちの間に深く浸透して影響力をもっていたという事実を、この事件が暴露したことであった。[2]

この事件、そしてこのような種類の事件一般について気をつけなければならないのは、容疑者の

動機に過剰な一貫性を想定し、さらにはそこに「思想」を見いだしたり、容疑者を時代の象徴として取り扱ったりすることである。また、このようにあまりにも「近い」事件に意味づけをすることには、必然的な限界が存在するだろう。

しかしそれでもなお、私たちが今回の事件と容疑者の人物像、そしてそれらが日本の現代社会について持つ意味を問わずに済ますことは、どうあってもできないだろう。いずれ避けられないなら、より良い形でそれは行われるべきだ。そのような動機から、ここでは蛮勇をふるっていきたい。

本論では、まず安倍晋三襲撃事件容疑者の Twitter 投稿を分析し、その背景に何があったのかを確認する。そこでは、新自由主義の中で生じる新保守主義が宗教右派と結託する傾向、そしてそれがフェミニズムとジェンダーという観点では、自らの弱者性にルサンチマンを募らせる男性によるバックラッシュともつながりを持っていることが浮き彫りになるだろう[3]（ここでは、銃撃殺人を行った容疑者の、犯行への意志をつづった文章を分析するので、そのような文章を刺激が強すぎると感じる方は注意していただきたい）。

奇遇か必然かは分からないが、ウェンディ・ブラウンの『新自由主義の廃墟で』は上記のような複合状況をアメリカの文脈において分析するものであった。本論ではブラウンの議論を紹介し、それが日本の現状を分析するにあたって有用ではないかという示唆をする。

襲撃容疑者とロスジェネ

私は事件の後、容疑者のTwitterアカウントだと報道されたアカウント（@333_hill）の過去の投稿（ツイート）をすべて読んだ[4]（同アカウントはその直後に凍結または削除されて現在は閲覧できない）。その結果、以下の諸点が突出した特徴であることが分かった。

- 旧統一教会への恨みと安倍政権および韓国への反感
- アンチフェミニズムとミソジニー
- 「弱者男性」としてのマイノリティ意識
- （反）新自由主義

これらの特徴は、容疑者の個人的経験と意見として見ることができると同時に、いわゆるロスト・ジェネレーション（以下ロスジェネ）に共有されたものとも見なせる。ロスジェネは一九七〇年から一九八三年生まれで、一九九〇年代半ばから二〇〇〇年代半ばの就職氷河期に社会に出た世代であり、容疑者はそこに属している（ちなみに本論の筆者は一九七四年生まれなので、この世代に含まれる）。

「ロスジェネ」が世代概念としてどれだけ有効であるのかは問われ続けなければならない。日本経済の後退と新自由主義的な雇用の流動化が偶然であれ意図的であれ重なった時代に就職活動をし、多くが正規雇用を得られずに非正規雇用やフリーターを強いられたという以外に、世代としての文化的共通性があるのか、あるように見えるとして、それはこの社会を説明する概念として適切なのか、その説明はロスジェネとされるものの中での差異を排除していないか――このような問いは、手放してはならない。

そのような留保を加えつつ、本論では一九八〇年生まれの襲撃事件の容疑者にロスジェネとしての諸特徴も見いだしていきたい。ただし、容疑者のツイートを読むと分かるのは、容疑者の知性、もしくは自意識の高さであり、彼が常に「典型的な何か」とされるのに抵抗していることである。したがって、ロスジェネであれなんであれ、何かの典型として扱われることに彼の言説は抵抗するであろうことを注意しつつ、上記の各特徴について確認していく。

旧統一教会への恨みと安倍政権および韓国への反感

二〇一九年一〇月一四日には「オレがに憎む（ママ）のは統一教会だけだ。結果として安倍政権に何があってもオレの知ったことではない」と投稿している。一文目と二文目の間に何があるのか（何の

「結果として」なのか）は想像するしかないが、「ここが自由の国なら、オレはとうの昔に自分の頭を打ち抜く（ママ）か乱射事件でも起こしてた人間だよ。ただし打つ（ママ）相手は選ぶがな」（二〇一九年一一月二三日）、「オレは事件を起こすべきだった。当時話題だったサカキバラのように。それしか救われる道はなかったのだとずっと思っている」（二〇一九年一二月七日）といったツイートを考慮すると、この時期すでに襲撃事件への芽が萌芽していたことが見て取れる。

また、彼の韓国への敵視は、韓国を本拠とする旧統一教会への恨みに由来しているとも考えられるし、より一般的にロスジェネの一部に共有されてきた反韓・嫌韓の感情だとも考えられる。(5)

アンチフェミニズムとミソジニー

旧統一教会関連で注目されるのは、二〇二〇年一二月一一日の「ウチのお袋は子供に自立の芽でも出ようものなら即座に統一教会ハマって（ママ）一族もろとも巻き添えにして自爆したね。恐ろしきは女人なり」というツイートである。これは『文春オンライン』の、子育てが終わった女性の生き方についての記事の紹介ツイートの、引用リツイートである。注目されるのは、旧統一教会と、それに「ハマ」った母への恨みが、「恐ろしきは女人なり」という形で一般化されていることだ。

ここに表明されているミソジニー的な感情、そして「フェミニズム」であると彼が考えるものへの反感――じつのところ、彼のツイートの多くを占めるのは、これらのカテゴリーに属するツイートである。[6] 枚挙にいとまがないが、例えば「「ミソが湧いててなんだこりゃ」 このワードのあらゆる方向への不誠実さこそが、フェミニズムの利己性でありミソジニーの源なんだろう」(二〇一九年一〇月二〇日)などは、彼の態度をよく表現している。「ミソ」はおそらくミソジニーのことであり、一部のフェミニストが使うネットスラングだろう。ここでの容疑者のフェミニズム観は、ネット上のアンチフェミニストたちの認識におけるフェミニズムにかなり近いと考えられる。つまり、「ミソが湧いててなんだこりゃ」に代表されるような攻撃性の側面でのみフェミニズムを捉え(もちろん、フェミニズムは人間解放のための思想と運動であり、ある種の攻撃性はその一部でしかない)、この場合はそのような攻撃性がミソジニーを生み出しているのだという論理が展開されている。

ただ興味深いのは、容疑者はあくまでミソジニーと距離を取ろうとしていることだ。「フェミニスト vs. ミソジニストに勝者なんかいないよ。どっちも原理主義者だからね。両方クソ」(二〇二一年四月一日)などはそれをよく表現している。「単なる」韓国ヘイターではないという態度と同様、「単なる」ミソジニストではない、という態度は、彼に特徴的である。

それにしてもやはり、彼のアンチフェミニズムは、ロスジェネ的だと一般化するのはためらわれるものの、少なくとも私が拙著『新しい声を聞くぼくたち』でポストフェミニズム下における男性性のトラブルとして分析したものに当てはまっている。[7] 彼は、歴史家の呉座勇一が英文学者の北村紗衣について、鍵をかけた（フォロワー以外には参照できない状態の）Twitterアカウントで、女性そしてフェミニストとしての北村に対する揶揄や中傷をしていたことが露見し、呉座が北村に対して謝罪、社会的にも呉座への批判が強まった事件にかなりの関心を向けている。その関心の背景には、そのような男性性のトラブルが横たわっていただろう。「個人的偏見を言えば、アカデミズムで女性の権利を訴える女性はどういう訳か既に権利を得たからそこにいるんでしょ。対してアカデミズムの男性は一般男性と何も変わらない。話の是非以前に「あんたに言われたくない」という気持ちは分からんでもない」（二〇二一年三月二八日）というツイートは、前後の文脈からしても呉座と北村の件についての論評だと考えられる。アカデミズムにいる女性は既に権利を得ているのだから女性の権利の主張をすべきではない、という主張は、裏返せば女性は社会的発言ができない立場にある限りにおいて発言して良いという主張（つまり、全く発言すべきではないという主張）なのであり、純然たるアンチフェミニズムである。ただそれ以上に、ここで、「すでに権利を獲得した女性」というポストフェミニズム的イメージ――あくまでイメージであり、幻像である――と、「一般男性」のイメージを対置し、後者の前者に対する否定的感情を許容する際に作動している感情のありようが重要である。これは、拙著でも依拠したサラ・バネット＝ワイザーが「ポピュラー・ミソジニー」と呼んでいるものにかなり接近しているだろう。[8] ポピュラー・ミソジニーとは、バネット＝ワイザーがポピュラー・フェミニズムと呼ぶものへの反応としてのミソジニーである。つまり、新自由主義的な労働とメディアの秩序の中で優勢になっているように（実際どうかはともかくとして）見えるフェミニズムに対するルサンチマン的反応としてのミソジニーである。これは、容疑者のツイートに見られる第三の特徴につながっていくだろう。

「弱者男性」としてのマイノリティ意識

男性というだけで自分たちはマジョリティだとは言えない、とりわけ自分たちは経済的な排除を受けている（ロスジェネで正規雇用を得られていない）、それに対して、職や権利を得た女性が自分たちの権利主張をし、それが認められるのは不公平である……これがポピュラー・ミソジニーの感情であり、「弱者男性論」の主張である。ただし正確に言えば、弱者男性論が後半のアンチフェミニズム的主張をするかどうかは場合による。自分たちの苦境の原因や不公平・不公正の主張をするための根拠をどこに求めるかという点において、弱者男性論は必ずしもルサンチマン的で差別的なものになるわけではない。そうではない弱者男性論も構想しうるはずだ。

容疑者のツイートは、この弱者男性論の周辺を行き来している。とりわけそれが鮮明に浮き彫りになるのは、映画『ジョーカー』（二〇一九年）をめぐるツイートにおいてである。トッド・フィリップス監督、ホアキン・フェニックス主演の『ジョーカー』は、バットマンシリーズの悪役ジョーカーが、いかにしてジョーカーになったのかを描く前日譚である。この映画はジョーカー＝アーサーを、虐待の結果不随意の笑いが止められない障害を負い、スタンドアップコメディアンを目指すも鳴かず飛ばずの非モテ男性として描く。彼は偶然にも助けられて、彼を抑圧する上流階級に対して銃口を向けることになり、ポピュリズム的な群衆のヒーローとなる。

『ジョーカー』は左派と右派のポピュリズム、弱者男性の苦しみと男性のルサンチマン的な暴力といったものについて、アーサーの暴力が最終的にどちらに属するものなのか、判断不可能な形で物語を締めくくっており、価値の不気味な非決定性を抱えた作品である。とはいえやはり、後者（右派ポピュリズムや有毒の男性性）を刺激する部分がせり出した作品でもあり、アメリカにおけるインセル運動との親近性が指摘されたり、日本ではジョーカーの模倣をした無差別殺人未遂が行われたりした（二〇二一年一〇月三一日の京王線刺傷事件）。この京王線事件で刺されたのは七二歳の男性だったが、事件の犯人が参考にしたと供述したのは、同年の八月六日の小田急線刺傷事件であった。[9]小田急線事件の犯人は、二〇歳の女性を最初に襲ったが、その動機を「幸せそうな女性を見ると殺したいと思っていた」「勝ち組っぽいと思ったから」と供述している。[10]まさにポピュラー・ミソジニーを根拠とするフェミサイド（女性を標的とする殺人）だったのだ。

そのような反響を社会にもたらした『ジョーカー』に対して、容疑者はかなりの思い入れを示す。その際、彼は「インセル」の意味を変えようとさえする。「インセルが狂気に走って希代の悪党になる映画が大ヒットとなれば女としては困るのは分かるが、ジョーカーはインセルでないのではなく憎む対象が女に止まらず社会全てというだけである。「インセルか否か」を過剰に重視する姿勢は正にアーサーを狂気に追いやった社会のエゴそのもの」（二〇一九年一〇月二〇日）。最初私は、このツイートの「ジョーカーはインセルでないのではなく」の間違いかと考えたが、よく読んでみればおそらく違う。これは、「ジョーカーがインセルなのか否かが問題なのではなく」という意味なのだ。容疑者が否定するのは、「性的なルサンチマンから女性に憎悪を向けるのがインセルであり、女性でなく社会に憎悪を向けたらインセルではない」というロジックもしくは定義なのである。つまりここで容疑者はインセルの意味を変え、アーサーの銃口は社会に向けられていたとするのだ。しかもその社会の「エゴ」（これは容疑者が特徴的によく使う言葉で、抑圧的なドグマほどの意味）は、固定的な意味での「インセルか否か」を確定しようとする抑圧的権力であり、それがアーサーを苦しめているという、かなり高度なロジックがここでは使われている。

もっと簡潔に言い換えれば、アーサーの暴力は社会の不正全体に向けられたものであるのだが、それを「インセルの暴力」へと切りつめるのは、まさにその社会だ、というわけだ。そこから出てくるのが、「ジョーカーという真摯な絶望を汚す奴は許さない」（二〇一九年一〇月二〇日）という宣言であり、『文春オンライン』の杉田俊介の文章「「真の弱者は男性」「女をあてがえ」…ネットで盛り上がる「弱者男性論」は差別的か？」[11]に対する、「だがオレは拒否する。「誰かを恨むでも攻撃するでもなく」それが正しいのは誰も悪くない場合だ。明確な意志（99％悪意と見なしてよい）をもって私を弱者に追いやり、その上前でふんぞり返る奴がいる。私が神の前に立つなら、尚の事そいつを生かしてはおけない」（二〇二一年四月二八日）というツイートである。

（反）新自由主義

容疑者の主張を受け容れて、インセルとは自らの苦境の原因を女性ではなく社会全体に求める者であるとして、それでは容疑者はどのような社会を求めただろうか。もちろん、結果的に彼が行ったのは殺人という、何ら擁護できない行為であった。しかし、彼がそうせずに済む社会は、どのようなものであり得たのか？

この疑問への回答を容疑者に求めるのは酷というものではある。だが、容疑者とロスジェネに苦しみを与えてきた社会といえば、八〇・九〇年代以降の新自由主義的な社会であることは確実である。

新自由主義へのオルタナティヴといえば、まずは福祉国家がある。現在のような市場万能主義は捨てて、国家の手厚い福祉とセーフティーネット、そして所得の再分配を行うという選択肢だ。だが、容疑者の視界にこの選択肢は入ってこないようである。そのこと自体、新自由主義を深く内面化しているロスジェネ世代の共通の特徴である。容疑者もその例にもれず、福祉を与える国家に対して何の信も抱いていない。「この国の政府が人民の幸福の為に存在した事は有史以来一度もない。明治においては列強に劣らない強国になるため、戦後においてはより強者だったアメリカの制度に順応するため。より強い者に従うために作られた政府がより弱者である人民の為に働く事を自ら理解する事は無い」（二〇二一年七月五日）

代わりに容疑者は、ベーシック・インカム、と言っても竹中平蔵が提案する新自由主義的ベーシック・インカムに強い関心を向け、それを是々非々で論じようとしている。新自由主義の与える苦しみは理解しているが、そこからの出口は見えていない。

そして結局容疑者は、彼の言葉を使えば、「神の前」に立ってしまった。

私には忘れられないツイートがある。二〇二一年一月一八日。「ダム沿いの道で子鹿が柵から抜け出せずに死んでいた。ほんの少しの手助けがあれば死なずに済んだのだろうか？」というコメントが、柵にはまり込んで死んだ子鹿の死体の写真に添えられていた。

新自由主義と伝統的道徳と宗教右派

さて、前もって述べたように、ここでは容疑者のツイートから首尾一貫した思想を析出しようといったことを目指しているのではない。実際、容疑者は、それなりに理知的な文章とロジックで自らが置かれた状況を理解しようとしているものの、それを全体的に理解するための理論も歴史観も持っているわけではない。

ここではそうではなく、ここまで整理してみた容疑者のツイートの特徴を、ひとまずはロスジェネが置かれている社会状況をよく表現したものだと仮設的に考え、それを全体的に理解し、そこからの出口を探し始める糸口は何かという問いに答える試みをしたい。そのためにはここまでのツイートの分析で見いだされた諸特徴や背景の関係を問い、矛盾しあうように見えるものの共存についで考える必要があるだろう。もっともクリティカルなのは新自由主義と宗教右派との共存の問題である。これらは容疑者の苦しみの二大源泉なわけだが、一見矛盾するこれら二つがいかにして共存しているのか。

ウェンディ・ブラウンの『新自由主義の廃墟で』は、基本的にアメリカの状況を念頭に置いて書かれた書物であるものの、上記のような疑問に答えるための大きなヒントを与えてくれる。[12] ブラウンは前著の『いかにして民主主義は失われていくのか』[13]で、新自由主義が市場モデルとその中での経済人（ホモ・エコノミクス）の理念を、いかにしてあらゆる人間活動の領域へと広げるのか、そしてそれが民主主義の基礎をいかにして切り崩しているのかを論じた。原著が二〇一五年に出版された『いかにして民主主義は失われていくのか』から、原著二〇一九年の『新自由主義の廃墟で』の間に起きたこと、それはもちろん、ドナルド・トランプのアメリカ大統領選挙での勝利であり、大西洋を渡ればイギリスのEU離脱を選択した国民投票だった。これら二つの「事件」は、より広く、フランスやポーランドなどヨーロッパ各国での排外的極右ポピュリズム、その中でのヘイトやアンチフェミニズム、反LGBTQ、そしてそれらすべての政治の「手法」としてのポストトゥルースなどを象徴するものだった。

ここで持ち上がる疑問は、新自由主義と、トランプ主義に代表される反リベラル的な動きとの関係だ。ひとつの説明は（ブラウンによればある種の左派による物語だが）、それは経済格差を推し進めた新自由主義とグローバリゼーションへの「反動」である、というものだ。その解釈によれば、新自由主義とトランプ主義は対立する。しかしブラウンはその説明を拒否する。曰く、「その物語は新自由主義的な統治性において社会的なものや政治的なものが悪魔的な地位を与えられていること、そしてそれらの代わりに伝統的な道徳や市場が価値を与えられていることを考慮に入れていない」（一三頁）。

ここからブラウンは、新自由主義が「社会」（第一章）、「政治」（第二章）を、したがって人民主権と民主主義を骨抜きにし、その代わりに「道徳的伝統主義」（第三章）をいかにして市場の中での個人の自由のうちに据えるか、という事情の探究に乗り出す。ブラウンはそのために、フリードリヒ・ハイエクを中心とする、新自由主義の創設的思想家のテクストに立ち戻って検討していく。

ブラウンは、ハイエクの「兵器庫」に収められた「三つの技術」を次のように要約する。

普遍的なルールを生成する立法権力を制限し、公共の利益のために政策を立案することからその権力を排除すること、社会的公正に関するあらゆる議論は意味がなく全体主義的であるとしてその信用を失墜させること、そしてハイエクが「個人の保護領域」と呼ぶものを拡大し、伝統的な道徳のおよぶ範囲を教会と家族から外に広げること（一四三頁）

ブラウンは、「これらは束になって、伝統的な道徳と市場を後押しし、同時に政治的なもののおよぶ範囲を抑えこみ、社会の民主主義的な改革を制限する」（四三頁）と述べる。

ブラウンは、このようなハイエクの新自由主義理論が、現代アメリカの宗教右派のイデオロギーにつながっていくことを、本書を通じて論じていく。その際に鍵となるのは、共和党の背後で保守主義的なイデオロギーを支えてきた、福音派である。

個人の自由の擁護のために平等や反差別に異を唱えることは、合衆国でもっとも強力なキリスト教福音主義の機関である自由防衛同盟（The Alliance Defending Freedom : ADF）によってみごとに磨き上げられた戦略である。（一五〇頁）

ここから第四章ではこの福音派による反同性愛や反中絶の運動がこのようなロジックで展開されていることが、二つの訴訟の事例を紹介しつつ切れ味鋭く論じられる。そこでは、宗教右派がアメリカ憲法修正第一条（表現（言論）の自由と宗教活動の自由）をいかにして自分たちの大義のために利用したか、そしてより重要なことに、それがいかにして経済活動の自由と結びつけられる形で主張されてきたかが論じられている。

例えば、扱われている訴訟のひとつ〈家族および生命の擁護全米協会（DBA NIFLA）他対ベセラ（カリフォルニア州法務長官）〉裁判を紹介しておく。これは、アメリカ全土に「緊急妊娠相談センター」を展開する「家族および生命の擁護全米協会（以下 NIFLA）」が、カリフォルニア州を相手取って起こした裁判である。NIFLA は要するに、望まぬ妊娠をした女性を人工妊娠中絶から遠ざけることを目的とした、プロライフ組織である。ところが、NIFLA はそのような真の顔を隠し、自分たちが中立的な医療機関であるかのようなふりをし、クライアントを中絶から遠ざけようとする。カルフォルニア州の二〇一五年のＦＡＣＴ法は、そのようなセンターに、相談センターは医療機関ではなく、妊娠中絶も含む、カリフォルニア州が提供する医療が他に存在することを掲示することを義務づけた。それが、センターの「表現の自由」を侵害しているというのがNIFLAの訴えであり、最高裁はその訴えを認めた。

この訴訟の争点は、「職業上の表現（の自由）」という独特のものを認めるかどうかであり、表向きは宗教活動の自由をNIFLAが論拠とすることはなかった。だが、もちろん、NIFLAは「隠れもしないキリスト教的な反中絶の組織」（二〇六頁）であって、訴訟の目的はそのイデオロギーの伸張にあった。

ブラウンは、最高裁のクラレンス・トーマス判事（もっとも保守的な判事として知られる）の意見における「制約なき思想の市場」という表現に注目する。この意見の論拠とされるのは、「真実の最上の試金石は、その思想の力が市場の競争において受け容れられることである」というホームズ判事の金言（二〇七頁）だ。ここには、「マーケティングや政治の領域に適合したものだとみなされる自由主義的な原理が、偶然にも信仰の領域へと転移させられるような横すべり［…］もしくは、信仰の領域が政治やマーケティングへと崩落していくような横すべり」が起きている（二〇八頁）。

補足しておくなら、この「制約なき思想の市場」の観念で表現されているのは、ハイエク的な「民主主義」のヴィジョンである。つまり、ブラウンは決して認めないだろうが、ハイエクには「市場の民主主義」という信念がある。これは現代のリバタリアンにもかなり広く共有された信念であろう。もちろん、ブラウンにとってそれは民主主義の否定にほかならないのだが。

問題は、市場の民主主義を民主主義と見なせるかどうかではない。そうではなく、現在の新自由主義と宗教右派の合流——その様相は上記のNIFLA裁判で見事に表現されているが——が、本来の民主主義だけでなく、市場の民主主義さえも「権威主義的自由主義」（九九頁）へと包摂してしまうということが問題なのだ。

ジェンダー・バックラッシュと新自由主義、そしてニヒリズムの問題

さて、ブラウンを経由して日本を見ることは可能だろうか。安倍晋三襲撃犯の苦境の源泉のように見えた新自由主義と宗教、そしてジェンダーをめぐるトラブルを、ひとつの全体を構成しているものとして見ることは可能だろうか。

これは、問い方を変えれば、二〇〇〇年代以降のジェンダー・バックラッシュと同時代の新自由主義を、対立的なものとみなすのではなく、共存的なものとみなすことはできるか、という問いとなる。つまり、ブラウンが議論の出発点としたように、バックラッシュやアンチフェミニズム、宗教右派の運動を、グローバリゼーションや新自由主義への反応／反動とみなし、その担い手を偏狭なナショナリストや男性中心主義者と考えて済ますのではなく、新自由主義の生み出した、そして

生み出し続けている秩序の中に、バックラッシュや宗教右派が何らかの位置を占めていると考える必要がある。

その前にそもそも、二〇〇〇年代以降のバックラッシュがどのようなネットワークを形成していたかを確かめていく必要があるだろう。このことは、安倍晋三の襲撃事件で初めて明らかになった論点なわけではなく、フェミニズム研究においてはバックラッシュの人的・イデオロギー的なつながりの研究はすでに蓄積がある。

中でも本論にとって重要なのが、山口智美・斉藤正美・荻上チキの『社会運動の戸惑い』である。[14]とりわけ第四章と第五章はそれぞれ宮崎県都城市の「男女共同参画社会づくり条例」と、ユー・アイふくいの所蔵書籍問題に対して、旧統一教会の事実上の機関紙である『世界日報』が活発に介入したことを、『世界日報』でそのような介入に携わった当事者への聞き取りをもとに明らかにしている。安倍晋三襲撃事件の後、旧統一教会への関心と批判が高まる中、その家族と異性愛を中心とする保守主義的なイデオロギーも改めて問題化されている。旧統一教会は、アメリカの福音派と反中絶のイデオロギーを共有している。[15]

安倍晋三をはじめとして、政権党の中に旧統一教会との太いつながりを持った政治家が多くいたことは、教会とその政治家たちが、家族主義、異性愛主義、反中絶といった保守主義的イデオロギーを共有したから、ということがまずは言える。だが、旧統一教会をめぐる書籍などは、関心の高まりとともに多く出ているものの、そのジェンダー・セクシュアリティをめぐる政治について触れているものはじつのところ少なく、ジェンダーの問題を通じた宗教と政治のつながりはまだまだ問われねばならない。

さらには、本論で主張してきたように、そういったつながりの背景に新自由主義が存在してきたかもしれないことについては今のところ十分には問われていない。重要な例外は金井淑子『異なっていられる社会を』である。[16] 安倍晋三襲撃犯が、このつながりの中からこそ生まれてきたという本論の主張が正しいならば、それを解きほぐすこと（それはここ二〇—三〇年を再検討する作業になるだろう）が、今私たちが立っている岐路が何なのかを理解する方法のはずである。

最後に、ブラウンはもうひとつ、現在の岐路について考える視点を与えてくれている。それは「ニヒリズム」である。『新自由主義の廃墟で』の最終章は、ニーチェとマルクーゼを援用し、本論で描いてきた現代をニヒリズムによって特徴づけている。ニヒリズムはニーチェに言わせれば神が死んだ近代の宿痾（しゅくあ）であるが、ポスト新自由主義（というのは、新自由主義が終わった時代ということではなく、それが浸透しきって腐臭を発している現在のことを意味しているつもりだが）の現在は、そのニヒリズムの病が社会の芯までさらに浸透した時代である。それは、「価値観の価値」そのものを切り下げ、あらゆる公正や普遍的価値や他者への配慮を問えなくしてしまう。そこにおける「道徳」は、ハイエクら新自由主義の創設的知識人が、伝統的道徳に期待したものとは全く異質なものになってしまった。宗教右派の「道徳」は価値観の価値が切り下げられた空隙に忍び込む阿片でしかないし、ポストトゥルース的なアンチフェミニズムとポピュラー・ミソジニーもまたそうである(「冷笑系」)。ロスジェネの宿痾ともいうべきこのニヒリズム。それと戦って撃退するというよりは(おそらくそれは無理だ)、それと共に生きつつ、なお他者への配慮をかなぐり捨てずに生きる道はないのか。アンチフェミニズムやミソジニーに寄りかかることなく自らの「弱者性」を見つめる方法はないのか。本小論はこの大きな問いに答えることはできない。しかし、問いはそこにある。

注

(1)「旧統一教会に「恨み」「殺害」　容疑者の別アカウント、3年前も凍結」『朝日新聞』二〇二二年八月八日（二〇二三年四月一五日閲覧）。https://digital.asahi.com/articles/ASQ8855PMQ86PTIL015.html

(2) 鈴木エイト『自民党の統一教会汚染――追跡3000日』小学館、二〇二二年。

(3) YouTubeチャンネル「デモクラシータイムス」の動画「新自由主義とカルトに追い詰められた〝ジョーカー〟のツイートを読み解く」での五野井郁夫による分析は本論と重複する部分が多いが、ここではすべての異同を確認はしない。https://www.youtube.com/watch?v=RGA3vklkHtc　なお、この動画の内容はその後、五野井郁夫・池田香代子『山上徹也と日本の「失われた30年」』集英社インターナショナル、二〇二三年に収録された。また、同書は本論で分析したアカウントによるツイートをすべて収録している。
（4）アカウントは注（1）の記事で報道されている。私は二〇二二年七月一八日に閲覧した。
（5）二〇二一年一二月二八日には「在日差別を「ヘイトスピーチ反対」と言って解決しようとすればするほど背後にある問題、韓国の挑発的な対日政策、日韓関係の悪化、北朝鮮・総連・拉致問題、米中冷戦、慰安婦から徴用工まで、戦後から現代にわたる巨大な問題体系を「差別」の一言で一方向に誘導する事になる」とツイートしている。このツイートにも、彼が「単なる」ネトウヨとなることを潔しとはせず、より大局的な視点を示すことを試みる姿勢が現れていつつ、韓国と北朝鮮を一緒くたにした上で日本との外交関係を語ろうとするあたりにはいわゆるネトウヨ的な粗雑さが現れている。
（6）以下URLの記事で、伊藤昌亮は容疑者のツイートをテキストマイニング等の方法によって分析しているが、「女」は出現頻度が第三位だった。https://gendai.media/articles/-/98547
（7）河野真太郎『新しい声を聞くぼくたち』講談社、二〇二二年の特に第一章を参照。
（8）サラ・バネット＝ワイザー「エンパワード――ポピュラー・フェミニズムとポピュラー・ミソジニー」田中東子訳、『早稲田文学』二〇二〇年夏号、二二一―二五二頁。
（9）「京王線刺傷放火、容疑者「ライター用オイル使った」…「小田急の事件を参考に特急電車狙い」」『読売新聞』二〇二一年一一月一日（二〇二三年四月一五日閲覧）。https://www.yomiuri.co.jp/national/20211101-OYT1T50191/
（10）「最初に女子大生を襲った理由は「勝ち組っぽい」服装だから…小田急切りつけ男」『読売新聞』二〇二一年八月八日（二〇二三年四月一五日閲覧）。https://www.yomiuri.co.jp/national/20210807-

OYT1T50419/
（11）二〇二一年四月二七日（二〇二三年四月一五日閲覧）。https://bunshun.jp/articles/-/44981
（12）ウェンディ・ブラウン『新自由主義の廃墟で——真実の終わりと民主主義の未来』河野真太郎訳、人文書院、二〇二二年。
（13）ウェンディ・ブラウン『いかにして民主主義は失われていくのか——新自由主義の見えざる攻撃』中井亜佐子訳、みすず書房、二〇一七年。
（14）山口智美・斉藤正美・荻上チキ『社会運動の戸惑い——フェミニズムの「失われた時代」と草の根保守運動』勁草書房、二〇一二年。
（15）斉藤正美「地方で蠢く旧統一教会（宗教右派）がめざすもの」上・下『ふぇみん』第三三三二号（二〇二二年一〇月五日）／第三三三三号（二〇二二年一〇月一五日）。
（16）金井淑子『異なっていられる社会を——女性学／ジェンダー研究の視座』明石書店、二〇〇八年。

第4章　鏡の中のフェイクと真実

――『ドライブ・マイ・カー』における男性性とポストトゥルース

濱口竜介監督の『ドライブ・マイ・カー』（二〇二一年公開）のテーマの一つが男性性であることは、誰も否定しないだろう。主人公の家福（かふく）悠介は俳優・舞台演出家として成功を収めている。妻の音（おと）も脚本家としてテレビドラマで活躍をしている。二人にはかつて娘がいたが、肺炎で亡くしてからは子供をもうけていない。

音の脚本作りは非常に奇妙な方法で行われていた。二人のセックスの後、音は夢遊状態となって物語を語る。音本人はそれを覚えていないが、家福がそれを記憶して書きとめ、それを音が後で脚本に仕立てるのである。

ところがある日、家福は音の不倫の現場を目撃してしまう。ウラジオストクでの国際演劇祭に審査員として招かれたのだが、天候不良でフライトがキャンセルとなり、自宅に戻ってみると音が自宅のソファで男（その場では誰かは分からない）と激しくセックスをしていたのだ。家福は見て見ぬふりをしてそのままホテルに泊まり、音にはウラジオストクに行ったふりをする。

その後のある日、家福が出かけようとしていたところ、音が、帰宅をしたら話があると彼に告げる。いやな予感がした家福は家に帰るのを遅らせるが（このことは作品の後半の告白で観客には分かる）、帰ってみると音が倒れている。くも膜下出血でそのまま帰らぬ人となった。

家福は音の死について後悔を抱えながら生きていくことになる（ただしその後悔は、作品の後半まで言葉にされることはない。自らが負った傷をちゃんと言葉にできないということ自体が、この作品が描く「男性性問題」なのである）。不倫を目撃したにもかかわらず、二人の関係が壊れるのを恐れて音と向きあわなかったこと。彼女の発見が遅れたのは彼が逃げたせいだったこと。

音が死去して二年後、家福は広島で行われる国際演劇祭に招かれる。広島に長期滞在してオーディションからリハーサルまでを行い、最終的にはチェーホフの『ワーニャ伯父さん』を、国際的な役者たちそれぞれの言語で上演するという趣向である。

家福は愛車の赤いサーブ900ターボを運転しており、運転について強いこだわりを持っている。今回も、瀬戸内海の離島の滞在先から広島市街まで、自分で運転するつもりであった。だが、演劇祭の主催者は、過去にゲストが事故を起こした事例があるということで、渡利（わたり）みさきを運転手としてつける。みさきは非常に優秀なドライバーであり、家福はしだいに心を開いていく。

オーディションの結果、家福はワーニャ役に若い売れっ子（だった）俳優である高槻（たかつき）耕史を選ぶ。

音はどうやら仕事で関係のあった俳優と次々に寝ており、高槻もその一人だったのではないかと家福（と観客）は疑う。

一方で、みさきはその人となりをしだいに家福に明らかにする。みさきは、北海道の集落で、母一人に育てられていた。水商売をしている母は、二重人格を持ち、みさきを虐待していた（母を仕事に送っていくために運転を覚えた）。ところが自宅が地滑りに巻きこまれ、母は死んでしまった。西へと放浪したみさきは広島でごみ収集車の運転手の仕事を見つけて留まったという。

そんな時、高槻が、一般人に勝手に写真を撮られたことに腹を立てて暴力をふるい、相手が死亡してしまう。演劇祭を中止するか、ワーニャ役を自分でやるかの選択を迫られる家福。静かに考えるためにどこか車を走らせようというみさきの提案に、家福は北海道の彼女の家を見せて欲しいと言う。そのままサーブ900で北海道に向かう二人。みさきの家の跡に到着した二人は、それぞれに愛する人を死なせてしまった罪責感に悩んでいたことを告白しあう。家福はワーニャ伯父さんを演じきる。最後のみさきとの対峙の場面で家福が言う、くり返し引用されている台詞が、「僕は、正しく傷つくべきだった」である。すべて引用するなら、以下の通りだ。

僕は、正しく傷つくべきだった。本当をやりすごしてしまった。僕は深く傷ついていた。気も狂わんばかりに。でも、だから、それを見ないふりをし続けた。自分自身に耳を傾けなかった。

だから僕は音を失ってしまった。永遠に。今分かった。僕は音に会いたい。会ったら怒鳴りつけたい。責め立てたい。僕に嘘をつき続けたことを。謝りたい。僕が耳を傾けなかったことを。僕が強くなかったことを。帰ってきて欲しい。生きて欲しい。もう一度だけ話がしたい。音に会いたい。でももう遅い。取り返しがつかないんだ。どうしようもない。

この後、みさきが家福を抱擁する。

真実とフェイク

先に述べた通り、この作品のテーマのひとつは男性性である。現在、男性性について考えるにあたっては、#MeToo運動に代表される新しいフェミニズム運動の呼び声に応答して、「有毒の男性性（toxic masculinity）」をいかにして反省し、それを取りのぞくかということに焦点が当たる傾向にある。

『ドライブ・マイ・カー』はそれとはかなり違う角度から男性性問題にアプローチしたと言っていいだろう。それは引用した家福の終盤の台詞「僕は、正しく傷つくべきだった」に集約されている。家福は音の不倫によって傷ついていた。しかしそれを見て見ぬふりをし続けていた。必ずしもこれは、「弱者男性論」的な、もしくは「男もつらいよ」的な、男性一般にも被害者性があるのだといった主張ではない。そうではなく、一般化するとしてそこにあるメッセージとは、男性は自分の内面に起こっていることから目をそらさず、否定的なものや弱さも含めた自分の感情の動きにちゃんと（「正しく」）向きあって、それに言葉を与えて表現し、対処できるようにならなければならない、ということである。

この作品についてこれ以上に述べるべきことはないのかもしれない。確かに今要約したメッセージは「正しい」し、多くの男性はそれをいまだ実践できておらず、もし実践できればこの世は少しはより良い場所になるであろうから。

だが、この作品は、この最終的なメッセージに関してより複雑な手続きを踏んでおり、その手続きの上で大きな問題の回避を行っている。本論ではそのことを考えてみたい。

その複雑な手続きというのは、「真実と虚偽」もしくは「真実とフェイク」をめぐるものである。まず、先ほど要約した「メッセージ」を素直に読むなら、男性はフェイク（もしくは建前）を脱して、自分自身についての真実（もしくは本音）に気づかなければならない、ということになる。家福は自分の感情の真実（本音）から目をそらし続けた（「本当をやりすごしてしまった」）。そのこと自体が音の死の原因になってしまった。物語の全体は、そんな家福が自分の感情の真実（本音）に目覚める物語である。

結論めいたことから述べておくと、この、自分の感情の真実に気づいて受け容れることは、現在の男性性問題の解決というよりは、問題そのものになっているかもしれないのである。実際、現実において「有毒の男性性」を振り撒いている人びとは、自分たちの感情の真実（本音）に目覚め、それを表現しているのではないか？　それを考えると、今必要なのは本音に目覚めることなのではなく、ちゃんと建前で生きることの方なのではないか？

もちろん、『ドライブ・マイ・カー』は有毒な本音に居直る物語ではなく、本音と建前、真実とフェイクとの間の関係やバランスをどうするかということをまさに問題にした作品である。ただしそれが徹底されているかどうか、そこが問題だ。

作品に即して見ていこう。まず、真実とフェイクの境界の問題がこの作品の主題であることは、早めの段階、つまり四〇分にわたる長めのアヴァンタイトルですでに宣言されている。それは、自動車事故の原因となった緑内障治療のために（それは家福の「老い」と、彼の男性性と結びついた自動車運転への自信の喪失という主題系をもちろん導入しているのだが）目薬を差す場面である。

家福は、自分が演じる台本の、自分以外の台詞を音にテープにふきこんでもらい、運転中はそれをかけて空白部分に自分の台詞を入れていくという練習法を習慣としている。出かけるときに音が、帰ったら話をしたいと家福に告げた日（つまり音が死ぬ日）も、彼は『ワーニャ伯父さん』をかけながら車で帰宅する。そして自宅マンションの立体駐車場に車を入れるタイミングで、テープは劇の結末あたりにさしかかる。音が読むソーニャの長台詞を聞きながら、家福は目薬を差す。そしてあたかも涙を流したかのように、家福の頬に目薬が流れる。以下、スクリーン上で起こるアクションも注記しつつ引用する。

ソーニャ〔音〕ああ、くわばら、くわばら……。
ワーニャ〔家福〕ソーニャ、なんてつらいんだろう！　このぼくのつらさが、お前に分かれば。
ソーニャ〔音〕仕方ないの。生きていくほかないの。……ワーニャ伯父さん、生きていきましょう。長い長い日々と、長い夜を生き抜きましょう。運命が与える試練にも、〔家福、目薬を差す〕じっと耐えて、安らぎがなくても、ほかの人のためにも、今も、歳を取ってからも働きましょう。〔目薬が涙のように流れる〕そして、最期の時が来たら、おとなしく死んでゆきましょう。そしてあの世で申し上げるの。〔家福、視線を下げる〕わたしたちは苦しみましたって、泣きましたって、つらかったたって。

この後場面が切り替わり、自宅で家福が音の遺体を発見することになる。ここでは、目薬を流す家福があたかもソーニャ／音の台詞を聞きながら涙しているかのような効果が演出されている。注記した通り家福は最後に視線を下げるが、これは彼が台詞に聴き入って、それに涙しているかのように見えるのだ。

この場面は、映画全体の構造とテーマを予告している。家福の「涙」は真実とフェイクの区別の決定不可能性の問題を導入する。この場面だけでは、真実とフェイクの区分は決定不可能なのだ。単に偶然に目薬が流れただけであり、家福は別に台詞に聴き入っていたわけではないのかもしれないし、その逆かもしれない。

同時にこの場面は、この映画における真実とフェイクの決定不可能性に、現実と演劇の区別（とその決定不可能性）が重ね合わされることをも予告している。引用した『ワーニャ伯父さん』の最終場面は、映画の結末で反復される。家福は最終的に危機を乗り越えてワーニャを演ずることができるようになり、高槻を除いた役者たちで上演は決行される、その様子が映し出されるのだ。この反復の意味は最後にもう一度考えるとして、この作品は、登場人物が感情を偽るという意味での真実とフェイク、そして劇中の現実と劇中劇という意味での現実と演劇の区別とその決定不可能性によって構造化されている。

鏡、性と暴力とフェイク

そのような構造を表現するにあたって、反復的に使用される小道具は鏡である。まず、先述のアヴァンタイトルにおいて、家福は鏡越しに音の不倫を目撃する。彼は直接にセックスを目撃するのではなく、玄関から鏡に映ったそれを目撃するだけなのである。これは、この場面だけ見れば何気ない演出だろう。だが、オーディションの場面でそれが反復されるとしたらどうだろうか。

広島での演劇祭に向けたオーディションでは、高槻が応募していて登場する。オーディションはペアで希望の役を演じるという形で行われる。高槻は医師のアーストロフ役を希望する。詳細は語られないが、高槻はその衝動的な性格のために東京でのメジャーな仕事を失っており、かつて家福が演出した『ゴドーを待ちながら』を観て感激し、このオーディションの募集を知って応募したのだという。高槻は台湾出身のジャニス・チャンと組んでオーディションに臨む。ジャニスは、セレブリャコフ教授の妻のエレーナ役である。

二人が演じる場面は、セレブリャコフ教授の先妻の娘であるソーニャに対するアーストロフの気持ちをエレーナが確認する場面である。エレーナを恋慕するアーストロフは、自分の気持ちを知っていながらソーニャの気持ちを彼に伝えるエレーナは「ずるい女(ひと)だ」と言い、彼女に詰め寄って無理やりにキスをする。そこにワーニャがやってきてそれを目撃する。そのような流れの場面である。

『ドライブ・マイ・カー』のオーディションの場面では、実際の台本よりも台詞が刈り込まれて短くなっている。『ドライブ・マイ・カー』からこの場面を書き起こすと次のようになる。

アーストロフ〔高槻〕　ははーん、あなたはずるい女(ひと)だ！
エレーナ〔ジャニス：以下彼女は北京語で演じるが、映画の日本語字幕を引用する〕〈どういう意味？〉
アーストロフ〔エレーナを指さして彼女に詰め寄りながら〕するい女(ひと)だ。〔オーディション室の全面鏡の壁際にエレーナを追いつめて〕百歩ゆずって、ソーニャさんが苦しまれているとして、まあ、その仮定はよしとしましょう。でも……
エレーナ〈何を言っているの〉
アーストロフ　あなたはよくご存じだ。どうして私が毎日こちらに伺うのか……。〔二人の演技を見る家福たちのショットから、鏡に映った二人を中心にするショットに切り替わる〕どうして、誰に会いたくてここにやってくるのか……。あなたは魔物だ、かわいい顔……
エレーナ〈ケモノですって？　何のこと〉
アーストロフ　……きれいな毛並みの、妖艶な魔物だ。あなたのような魔物には生け贄が必要だ〔エレーナ／ジャニスの顎をつかもうとする〕。
エレーナ〔アーストロフ／高槻の手を振り払いながら〕〈気でも違ったの？〉
アーストロフ〔カメラは真剣に見つめる家福のショットに切り替わる〕ずいぶん遠慮深いんだな。
エレーナ〔鏡像ではないエレーナ／ジャニスに切り替わって〕〈私は誓って、あなたが考えてい

るような人間じゃない。そんな低俗な女じゃないの。絶対に……〉

アーストロフ　〔彼に人差し指をつきつけるエレーナの手をつかんで〕誓うことなんかありません。余計な言葉はいらない。美しい女だ！　このきれいな手！〔手にキスする〕

エレーナ　〔ふりはらって〕〈もうたくさん。〉

アーストロフ　〔逃げようとするエレーナを抱き寄せて〕いいですか、これは避けがたい運命です。

エレーナ　〔視線をさまよわせながら〕〈お願いです。やめてください。放してください。〉

アーストロフ　明日、森までいらっしゃい。二時ごろに……いいですね？　いいですね？　いらっしゃいますね？

エレーナ　〔アーストロフの「いらっしゃいますね？」と同時に〕〈行かせて。〉

〔アーストロフ／高槻はエレーナ／ジャニスに無理やりキスをする。その瞬間、フレームの外で椅子がガタリと引かれる音がし、高槻は演技を止めてふり返る。〕

家福　〔高槻とジャニスの背後の鏡に映って立っているのが見える〕そこまで。失礼。〔家福を直接とらえたショットに切り替わって〕ありがとう。Thanks.

少々長くなったが、この場面は非常に巧妙かつ濃密に、真実とフェイク、現実と演劇との間の不安定な関係を、鏡という小道具を用いて表現している。

まず確認しておく必要があるのは、この映画で使用されている『ワーニャ伯父さん』は、私が本論で参照しているのと同じ、浦雅春訳の光文社古典新訳文庫版なのだが、この場面では、アーストロフの「その仮定はよしとしましょう。でも……」以降は、台本から逸脱していることだ。大きく逸脱しているというわけではなく、台詞がつぎはぎになって省略されながら進むという形になっている。

それが計画的なものなのか、それとも事故なのかは決定不可能である。ただ、高槻の台詞をさえぎるような形で発せられるエレーナ／ジャニスの「何を言っているの」という台詞は、非常にアイロニカルな台詞になってしまっている。つまりここで、高槻とジャニスはお互いの言語が分からないので、所定の台詞を言い終わったかどうか分からない。ジャニスが「何を言っているの」と言うタイミングは、その意味で早過ぎになっているように見える。ただ同時に、「何を言っているの」は、劇中のエレーナの台詞であると同時に、日本語が分からないジャニス自身の台詞にもなりうる。この瞬間に、現実と劇の境目が崩壊し始めるのだ。

その後のやりとりは、片足を劇に、片足を現実においたような形で進むことになる。したがって、高槻のジャニスに対する行為は、半分は演技の上での行為なのだが、半分は現実の、同意なき性的暴力でもある。エレーナ／ジャニスの「お願いです。やめてください。放してください」という台詞はひょっとすると本気で言っているのではないか、という疑いが、観客の中にも生じるようになっている。[1] そのようなあわいに、映画の観客だけでなく家福もまた引き込まれていくことは、途中で挿入される家福の表情、そして最後の動揺した様子によって表現される。

ここで重要なのは、このオーディションの場面での家福は、元々のチェーホフの劇の中ではワーニャ伯父さんに相当する位置にはまり込んでいるということである。原作では、アーストロフがエレーナにキスした瞬間にワーニャが入場してそれを目撃し、ドアロで立ち止まる。そして大きく動揺するのである。家福は大きな音を立てて椅子を引いて立ち上がり、二人の演技を止める。原作であればワーニャが登場するタイミングで、である。

「失礼」という、オーディションをしている演出家としては不必要、もしくは意味不明な台詞は家福の動揺を表しているわけだが、なぜ彼が動揺しているのかと言えば、この場面が音と（おそらく）高槻のセックスを目撃した場面の反復だからである。反復だ、というのは、二重の意味でそうだ。すなわち、チェーホフの原作のこの場面が不倫の場面である（実際、劇では最終的にエレーナはアーストロフを一時的に受け容れる）という水準での反復。そして、鏡越しに性的行為を見るという（それもその一人は高槻である）意味での反復である。家福はこの二つの反復のあわいに落ち込んでいるという意味でも、真実とフェイクの間の空間にはまり込んでいるといえる。鏡は、鏡像＝フェイクを表現するのではなく、真実とフェイクの決定不可能性を表現している。そして、家福自身が、家福という自己でありつつ、ワーニャにもなってしまうという「間」の空間からそれを見るのである。

ここで、なぜ『ワーニャ伯父さん』なのかということは確認しておいていいだろう。ワーニャは四七歳。この演劇のテーマは、中年から老境にさしかかろうとするワーニャの絶望である。ワーニャは自分の寿命を六〇歳と見ているので、現在の日本の同年齢の男性とは少しずれるのかもしれないが、残る人生がどのようなものとなり、自分が人生で何をなし遂げられ、何をなし遂げられないのかがだいたい見えてくるのがこのワーニャの年齢かもしれない。ワーニャの絶望は、何もなし遂げられず、自分の人生は苦しみと徒労で終わるだろうという悟りにあるのだが、家福はそのような人生の「真実」にまだ直面できていない。高槻が降板した際にワーニャを演ずることに対して家福が見せるためらいはそこにある。家福にとっては、ワーニャはあまりに「近い」存在になってしまったのだ。適切な距離を取って演じることができないのだ。それはつまり、ワーニャは家福にとって真実でもフィクション（フェイク）でもない――またはその両方である――何かになってしまったということである。そのようなワーニャとの適切な距離を見つけ、演ずることができるようになることとはすなわち、家福が直面できていない自分の内面の真実に向きあい、音のいない孤独と、そしてワーニャの余生と同じように続いていくであろう自分の残る人生と向きあうことである。『ワーニャ伯父さん』という枠組みの意味はそのようなものである。

その一方で、このオーディションの場面にすでに導入されている、『ワーニャ伯父さん』という枠組みの外側の要素にも注目しておく必要がある。それは一言で言えば高槻の暴力性である。確かにチェーホフの原作のこの場面は、アーストロフによる性暴力の場面だと言うことはできる。だが、高槻の演技はそれ以上の暴力性を示唆しているだろう。これはもう高槻を演じた岡田将生の演技を褒めるしかないだろうが、彼のここでの演技には非常に危うい暴力性を感じるし、それはその後、バーで勝手に写真を撮られてキレる際の演技にも通ずるものがある。

暴力の外部化と「反省」の成功

この映画に「結論」というものがあるとして、それは家福がワーニャを演ずることができ、自分の孤独で苦しい人生を受け容れる覚悟をした、というものである。ここでも現実と演劇の二重性が作動している。二重性や決定不可能性というより、もはやそれらの間の交換可能性と言った方がいいかもしれない。

結末で北海道の、みさきの家があったと思しき場所に二人がたどり着くと、みさきは自分の過去について、母について語る。みさきの母は、自分の中に「サチ」と呼ばれる、八歳の別人格を作っていたという。みさきに暴力をふるった後、母は「サチ」になったというのだ。その「サチ」について、みさきは次のように語る。

母の中にある最後の美しいものが、サチには凝縮されていました。サチは私の、たった一人の友だちでした。〔煙草を線香のように刺して〕母が本当に精神の病だったのか、私をつなぎとめておくため演技をしていたのか、分かりません。ただ、仮に演じていたとしても、それは心の底からのものでした。サチになることは母にとって、地獄みたいな現実を生き抜く術だったんだと思います。

ここには、真実とフェイク、本音と建前という対立の中で、なんとか闇に飲まれずに生きていくための方法が語られており、家福はこの言葉を受け取って、この後の場面でワーニャを演じることができるようになっている。つまり、最後の劇中劇はもはや現実（人生）と区別する必要はないのだ。必要はないというより、その区別をせずにその両方を生きることが、家福がこの後の人生を生きていくための方法なのである。

この最後のシークエンスでは、そのようなメッセージ内容と映画の形式が見事に合致している。つまり、みさきは家福にとってのソーニャとなっているのである。家福／みさきとワーニャ／ソーニャという組み合わせが、最後に反復される。述べた通り、ここに至って、前者が現実で後者が演劇または役だと区別する必要はもはやない。本音に開き直るでもなく、建前のみで生きて自分の感情に蓋をするでもない、「間」の生き方の必要性をこの映画は提示する。これは、より広く「有毒の男性性」の現在（それはポストトゥルース的な現在でもある）を考え、それに対応するための鍵も与えてくれているだろう。

そのように、見事に、美しく終わっているように見える『ドライブ・マイ・カー』であるが、私はこの結末はある排除を基礎に成り立っていると考えている。（これは、作品としての欠点を批判したいのではない。映画であれ何であれ、結末が見事であればあるほど、それは重要な、意義深い排除を行っていると考えるべきだ。）

その排除とは、以下の二点である。ひとつは、すでに示唆しておいた通り、高槻に体現される暴力性である。高槻はおそらく暴力衝動を抑えられない性格を持っており、最終的に殺人者にまでなってしまう。彼の暴力性の意味は何だろうか。いや、「意味」ではなく、ここでは彼の暴力性の役割は何かと問うべきかもしれない。結論を先に述べておくと高槻の暴力性は、家福が備えていてもおかしくない暴力性を投射し、外部化して無化するために彼に付与されている。

もうひとつの排除は、作品の多声性の排除である。映画『ドライブ・マイ・カー』の原作は村上春樹の短編「ドライブ・マイ・カー」だけではなく、それが収録された短編集『女のいない男たち』からほかに「シェエラザード」「木野」の諸要素を自由に組み合わせ、創造し直したものである。短編「ドライブ・マイ・カー」は、この後述べるように表面上ではよりホモソーシャルな構造と内容を持っているように見え、映画『ドライブ・マイ・カー』はみさきの存在の重要性をより大きくすること、そして他者とのコミュニケーションも（外国語や手話との混淆によって）主題化することで、そのようなホモソーシャル的な単声性を乗り越え、より多声的な作品になっているように見える。

最後に問うておきたいのは、本当にそうなっているのか、ということである。この点を考えるにあたって鍵となるのは、家福と高槻がバーで飲み、その後みさきの運転する車の中で語り合う場面である。バーを出た後、高槻は彼の写真を無断で撮った男を追って一瞬姿を消す。後に明らかになるのは、この時高槻はその男に暴力をふるい、その結果相手が死亡したということである。高槻をホテルまで送る道すがら、高槻は家福の知らなかった、音がセックスの後に語った物語の続きを語る。そして高槻はこの映画の原作のひとつである村上春樹の短編「ドライブ・マイ・カー」での重要な長台詞を、原作にはない「音」という名前などの多少の改変を加えながら語る。映画から引用する。

僕の知る限り、音さんは本当に素敵な女性でした。もちろん僕が知っていることなんて、家福さんが知っていることの百分の一にも満たないと思いますが、それでも僕は確信をもってそう思います。そんな素敵な人と二〇年も一緒に暮らせたことを、家福さんは感謝しなくちゃいけない。僕はそう思います。でもどれだけ理解し合っているはずの相手でも、どれだけ愛している相手でも、他人の心をそっくり覗き込むなんて無理です。自分がつらくなるだけです。でもそれが自分自身の心なら、努力次第でしっかり覗き込むことはできるはずです。結局のところ僕らがやらなくちゃならないことは、自分の心と上手に、正直に折り合いをつけていくことじゃないでしょうか。本当に他人を見たいと思うなら、自分自身を深くまっすぐ見つめるしかないんです。僕はそう思います。

村上春樹の短編では、このやりとりはバーで飲む家福と高槻の間で交わされている。それに対して、映画では運転するみさきもこれを聞いている。そして、高槻をホテルに送り届けた後、家福は初めて助手席に座る。そして、みさきは、次のように言う。

嘘を言っているようには聞こえませんでした。それが真実かどうかは分からないけど、高槻さんは自分にとって本当のことを言っていました。分かるんです。嘘ばかりつく人の中で育ったから、それを聞き分けないと生きていけなかった家福は黙って（それまで車内では禁じていた）煙草を取り出し、二人は開けたサンルーフから煙草を突き出しながら、吸う（この煙草は、最後の場面の線香代わりの煙草と響き合う）。

さて、ここで何が起きているのか整理すると、一方で高槻は、自分ではまったく実行できていないことを当為（とうい）として語る。高槻が抱える問題はまさに「自分の心と上手に、正直に折り合いをつけていくこと」ができていないことなのだから。その限りにおいて、高槻の台詞には何の説得力もない。しかし、ここまで見てきたように、この映画は真実とフェイクの間の壁を入念に破壊してきている。したがって、高槻の言っていることが真実であるかどうかはもはや関係がない。そのことを追認するのが、みさきの「真実かどうかは分からないけど［…］自分にとって本当のことを言っていました」という台詞である。観客も、先ほど引用した長台詞を言う際の高槻の真に迫った表情（これも名演だと思うが）を見れば、みさきには同意せざるを得まい。

それにしても、常識的に見れば矛盾しているように見える高槻の言動をどう考えればいいのだろうか。明らかに家福はここで高槻から学んでいる。だが、学びを与えたはずの当人はそれを学んでいない。この矛盾にも見える手続きは、じつはかなり常套的なものでもある。つまり、主人公にとっては他者的な属性（この場合は暴力性）を持った登場人物と主人公、もしくは視点人物的な人物がいったんは共感的なつながりを形成し、しかる後に切り離して否定的な要素を他者の中に投射することで処理する、という手続きである。(2)

ここでそのような共感と切り離しによる投射が行われているとして、原作「ドライブ・マイ・カー」ではもっと明確な家福と高槻との間のホモソーシャルなつながりが、この映画で本当に解除されているのかどうかは、検討の余地がある。ここで原作にはない形でみさきが会話を聞いており、それに対して承認的なコメントをすることは、この作品の「多声性」を高めていると言えるだろうか？　そうではない可能性が高い。むしろ、みさきは、『ワーニャ伯父さん』のソーニャにも似て、従属化し、その有毒性を自分では処理し切れていない男性たちを承認してくれる聖母的な存在になってしまっているようにも読める。すでに分析した最後の一連の場面では、家福がみさきを、ワーニャがソーニャを抱擁するのではない。その逆であって、みさき／ソーニャが家福／ワーニャを抱擁し、許しを与えるのだ。しかもそこでみさきが導入する「真実」と「（自分にとっての）本当」という新たな区分は、ポストトゥルース的なものへと接近する。

このように、『ドライブ・マイ・カー』は暴力性を高槻に投射し、みさき／ソーニャの承認を受けることによって、非暴力的で多文化主義的な（他者に開かれた）男性主体を確保して結ばれている。真実とフェイクの区別を切り崩すというこの作品の基本モードは、男性性をめぐる反省のためのモードでありつつ、同時に「すべてが本当」というポストトゥルース的なロジックにも危うく接近するものである。みさきによる許しは、そのようなポストトゥルース的な「許し」となる可能性も秘めているのである。くり返すが、これは批判ではなく、作品の到達点＝臨界点を指摘しているのである。その臨界点の向こう側の問題は、もう一度、または何度でも「男性性問題」として回帰してくるだろう。私たちはそれに対して準備をしておかなければならない。

注

（1）この場面に直接関係するというよりは、映画全体の劇中劇の位置づけについて注記せねばならないのは、劇中劇については劇団地点が取材協力者としてクレジットされているが、劇団地点の代表三浦基が行ったとされるパワーハラスメントに対する訴えがあり、一旦は和解に向かったものの、被害者が和解を拒否、それに対して劇団地点が損害賠償訴訟を起こして現在（本論執筆時）に至っているという事実である。これについては訴訟が進行中なので確定的なことは述べられないが、この後結論に向けて論じるように、家福の権力性や暴力性が外部化されるような構造と、あくまで一般論として演劇や映画制作の現場がハラスメントの起きやすい環境であることとの関係は看過してはならないだろう。

これについては、二〇二二年にはいくつかの大きな動きがあった。四月一三日には是枝裕和、諏訪敦彦、岨手由貴子、西川美和、深田晃司、舩橋淳らの「映画監督有志の会」が日本映画製作者連盟（映連）にハラスメント防止に向けての提言書を提出した。それに先立つ四月一二日には、山内マリコと柚木麻子が「原作者として、映画業界の性暴力・性加害の撲滅を求めます。」という声明を発表し、そこには二〇名弱の作家が賛同者として名を連ねた。一〇月一一日には日本シナリオ作家協会が「文化・芸術に関わるすべての業界における、あらゆるハラスメントを根絶するために、全力を尽くす」という趣旨の声明を発表した。

劇団地点のパワハラ問題については、被害者（Aさん）の支援団体のウェブページ（https://www.sarrm.com/）ならびに劇団地点のウェブページに掲載された「三浦基からのご挨拶」（http://chiten.org/news/archives/94）などを参照。

（2）例えば、類似する手続きは本書第1章で論じた映画の『恋愛小説家』（一九九七年）に見られる。この場合、主人公の小説家メルヴィンが抱えるクィア性が、最終的に隣人のゲイの画家であるサイモンに投射され、結局はメルヴィンの異性愛的主体が「完成」される際に同様の手続きが行われている。これについてはクリップ・セオリーを提唱するロバート・マクルーアが『クリップ・セオリー（*Crip Theory: Cultural Signs of Queerness and Disability*）』の序章で詳述しているが、その議論は拙著『新しい声を聞くぼくたち』（講談社、二〇二二年）で要約し発展的に論じた。

II 私たちの帰る場所

第5章　ブラック・マウンテンズから中国山地へ

――レイモンド・ウィリアムズと宮崎駿の「エコロジー」思想

二〇一一年三月一一日午後二時四六分ごろに宮城県沖約一三〇キロメートルの地点を震源地として起こった大地震は巨大な津波を引きおこし、二〇二二年三月の時点で一万五九〇〇名が死亡、二五二三名が行方不明となっている。[1]津波は福島第一原子力発電所も飲み込み、冷却システムのための電源を喪失した結果、原発はメルトダウンした。世界史上で最悪の原発事故のひとつである。

震災から一〇年が経って、被災地の多くは災害から完全に立ち直ったとは言えない状況であるし、福島には三三七平方キロメートルの高線量の「帰宅困難地域」がいまだに残されていることを考えると、原状復帰という意味での完全な復興というものはあり得ないと考えるべきであろう。そして今、震災の一〇年後に、私たちはもうひとつの危機のただ中にある――新型コロナウイルス感染症のパンデミックだ。

この出来事の連なりは、私にある小説を想起させる。ウェールズ出身、イギリスの文化研究者・

小説家のレイモンド・ウィリアムズの『ブラック・マウンテンズの人びと』である。この小説は、一九八八年に急死したウィリアムズが死の直前まで取り組んでいて、未完成ながらウィリアムズの妻のジョイ・ウィリアムズの手によってまとめられ、一九八九年・九〇年に二巻本として出版された。この「小説」は他に類を見ないものである。主人公はタイトルにある「ブラック・マウンテンズの人びと」である。ブラック・マウンテンズとは、イギリスの西部の地方（カントリー）＝国のウェールズの南部、イングランドとの国境近くにある山脈である。ウィリアムズ自身はこのブラック・マウンテンズを臨む地域に生まれ育った。小説は、現代の語りと、紀元前二万三〇〇〇年前（後期旧石器時代にあたる）からこの地域に暮らしてきた人びとの運命を、現代に向けて語っていく物語が錯綜する形で展開する。主人公は「人びと」だと述べたが、物語の枠となるのは現代の、ブラック・マウンテンズへの登山に行って帰ってこない祖父を探す男の視点で、彼は祖父を探しながら、この土地の遥か昔をフラッシュバックのように幻視していくのだ。この小説で、ウィリアムズはいわば郷土史を小説の形で語ろうとしたのだが、二万五〇〇〇年近くにわたる歴史的想像力、その間の人間の生と文化の断絶と断絶を超えた連続への想像力には息を呑むものがある。

その『ブラック・マウンテンズの人びと』の第一巻には、「地の嵐」と「黒いよそ者と金の雄羊」と題された連続する章がある。「地の嵐」は紀元前一六〇〇年あたりに設定されており、この地域に定住した人びとが比較的に安定した牧畜社会を形成している。ところが彼らは「地の嵐」、すなわち大地震に見舞われる。この社会、というより大きな家族と言った方が適切なコミュニティにもたらされた被害は「甚大」であり、多くの羊を失った人びとは生活様式の変更を強いられる。[2]

それに続く章「黒いよそ者と金の雄羊」では、前章から一五〇年の時が流れている。私たちが目にするのは、前章の牧畜社会が復興して繁栄し、これまでになく（ここまで、私たちは後期旧石器時代以降、人びとが狩猟生活から牧畜生活へと苦難を乗り越えて生き抜いてきた様子を読んでいるのである）豊かな生活をしている様子だ。前章の災害以降に長い復興のプロセスがあったであろうことは想像するしかないが、復興があったことは確実である。ところが、この社会ははるかに残酷な運命の犠牲となる。この社会は、「黒いよそ者」と彼が連れる「金の雄羊」がもたらした炭疽菌の流行によって、ほぼ壊滅してしまうのだ。この病がブラック・マウンテンズ全域に流行すると、「古い家族たちの生活の糧（livelihood）そのものであった羊のほぼすべてが数週間で死滅し」、同時に羊飼いをしていた若い男女も死に、その結果、「山地の生活様式の全体（the whole way of life）はほとんど破壊されてしまった」。[3]

このシークエンスは、地震とパンデミックという表面上の類似性を超えて、私たちの現代にとってより深い意義を持っている。その意義のひとつは、疑問形によって提示できるだろう――これらの災害は、本当に自然災害なのか？　地震はもちろん、例えば天然ガス採掘（フラッキング）のような人間活動によって引きおこされるのでない限り、自然のものである。しかし、福島の経験を通じて私たちが学んだのは、地震を真の意味での災害にするのは、人間の産業（industry）であるということだ。もしくは、ウィリアムズがここで採用している、ウィリアムズ自身のキーワードを使うなら、生活の糧（livelihood）もしくは生活様式の全体（the whole way of life）が、地震を真の災害にしつつ、それ自体が震災で失われているのだ。巨大な災害は自然と人工、自然と人間の区別を切り崩し、根本的に問い直させる。

このシークエンス、そして小説の全体にかかわるもうひとつの意義は、そのような災害は私たちの社会の屋台骨に、そして「生活様式の全体」に深く広いインパクトを与えるのだが、そのことは短期的な視点では目に見えないということだ。私たちの社会にもたらされる真の変化は、信じられないような長期的な視点に置かれて初めて目に見えるようになる。それこそが、『ブラック・マウンテンズの人びと』が行うことなのだ。炭疽菌のエピソードのあと、人びとのコミュニティは孤立し、閉じこもったものになり、場合によってはお互いに対して敵対的になっていく。ただ重要なのは、やはり、長期的な変化の結果として示されていく。ただ重要なのは、その変化が悪化だけではないということだ。そういった長期間にわたる変化と、そのうちにある連続性――これを私は、「変化の連続性」と名づけて論じたが[4]――のはてに私たちが見いだすのは、人びとのレジリエンス（回復力、ねばり強さ）としか呼べないものである。[5]『ブラック・マウンテンズの人びと』は、人びとが圧倒的な災害に押しつぶされ、絶滅の寸前まで至る苦境を描きつつ、同時に彼らがそういった災害をかろうじて生き抜き、コミュニティを何度も作り直す物語なのである。

本論では、この二つの視点、つまり自然と人間の区別の捉え直しと、気の遠くなるような長い時間の中に見いだされる変化と連続性という視点を携えて、エコロジー／環境思想を考えていきたい。実際、この後示すように、晩年のウィリアムズは環境思想に向かって行っていたのだが、断片的なものに終わったその思想の真の意味を評価するためには、それらの視点で見ていくことが決定的に重要になる。同時に、本論ではさまざまな比較を通してエコロジーの主題を深めていきたい。まずは、一九八〇年代、ウィリアムズが『ブラック・マウンテンズの人びと』を書いていた頃にその本格的なキャリアを開始した宮崎駿である。そして、二人の環境思想は、近年活発に議論の対象となっているカール・マルクスの「環境思想」との親和性において結びつけられるだろう。これらの比較を通じて、現在の歴史的局面の要請に耐えるような環境思想を瞥見するのが本論の目標である。『ブラック・マウンテンズの人びと』のさまざまなエピソードは、上記のように、現代の私たちの生きる瞬間を予言していたと読むこともできる。その現在の歴史的局面において私たちは新たな時間的・歴史的なパースペクティヴに私たちの認識をアジャストせねばならないだろうし、同時に自然と人間、有機体的なものと非有機体的なものとのあいだの二項対立についての新たな認識（もしくはその二項対立の脱構築）をそこに重ねていかなければならないだろう。

近年、「人新世」という歴史区分が新たな重要性を獲得しているのは、人間による介入――それは、いわゆる「大加速」の時代にあっては、非常に短期的に大きな影響を与えているように見える——が、自然とこの惑星の長期的な変化のうちにどのように位置づけられうるのかという疑問に新たな視点を与えてくれるからであるし、この歴史区分が上記の現代の要請に応えてくれるように思われるからでもある。ウィリアムズ、宮崎(そしてマルクス)を「人新世の思想家」たちとして読むことは可能だろうか?

生活様式の全体としての「生活の糧」と文化

晩年のレイモンド・ウィリアムズはエコロジーとエコロジー運動にしだいに関心を高めていた。YouTube上には、一九八四年六月二日にウィリアムズが社会主義環境・資源協会(the Socialist Environment and Resources Association; SERA)のためにレッチワース(エベネザー・ハワードが作った「田園都市」のひとつ)で行った、「エコロジーと労働運動」という講演がアップロードされている。[6]また彼は「自然の観念」(一九七二年)、「社会主義とエコロジー」(一九八二年。SERAでの講演に基づいた、SERAのパンフレットが初出)、そして「田舎と都会のあいだで」(一九八四年)といった重要なテクストを残している。[7]またウィリアムズの最後のモノグラフである『二〇〇〇年に向けて』では、エコロジーが新たなオルタナティヴ運動のための原理のひとつとして指名されている。[8]

これらの著作を通覧して分かるのは、エコロジーへの関心はウィリアムズの思想の中で傍流だったどころか、この後示すように、彼は環境運動とその社会主義との融合のうちに、社会の全体的で肯定的な変化の可能性を見ていたということである。ただしそれにあたってウィリアムズは、エコロジーという言葉の意味だけではなく、エコロジーをめぐるさまざまな概念の布置の全体をも、根本的に変容させた。その概念のうちでもっとも重要なのが「生産（production）」と、そのアンチテーゼとしての「生活の糧（livelihood）」である。これらがアンチテーゼだというのはにわかに飲み込めない話であろうが、そこが決定的に重要な点である。

「生活の糧」はここまで挙げたウィリアムズの著作の中でくり返し登場する言葉である。例えば、「田舎と都会」からの次の引用は、『二〇〇〇年に向けて』と『田舎と都会』の議論を見事に要約しつつ、「生活の糧」の中心的定義を提示してもいる。

> 私たちが今理解し、解かなければならないもっとも深い問題は、この自然と生活の糧とのあいだの現実の関係のうちにある。私は『二〇〇〇年に向けて』で、私たちが加えていかなければならない主要な変更は、地球とその生命を、一般化された生産のための原材料とみなすような支配的な概念の変更であると論じた。［…］しかし、私が『田舎と都会』の中で、表面上は媒介されていない自然と呼んだもの――つまり川や山、木々、花々、動物や鳥たちといった生け

る世界――の、おなじくらいに必然的な視点において、「自然」と「生産」とのあいだの粗雑な対立を避け、その両者にとってかわるような実際的な用語を探すことが重要である。つまりそれは、よりよく理解された物質世界と、すべての真に必然的な物質的プロセスのうちにあり、その中で作動している、「生活の糧（livelihood）」の観念である。[9]

生活の糧という観念は、（生のままの）自然と（人間による）生産という「粗雑な対立」にとってかわると述べられている。言い換えればこの観念は、自然と人間の対立を脱構築し、その両者を全体として見るためのものである。

しかしそもそもなぜこの二項対立を避けなければならないのか？『二〇〇〇年に向けて』でウィリアムズは、人間の生活の全体的なプロセスから「生産」を抽象化して切り離すことは、まさに産業主義と資本主義のイデオロギーの作用にほかならないと論じている。全体的なプロセスから生産を切り離してしまうことは、労働力を、そしてひいては人間を「原材料」とみなすことにほかならない。[10]レッチワースでの講演はより明示的で、生産は「何を生産しているかということは全く関係のない、総量」の問題でしかないのに対して、生活の糧という観念は、出発点として「人間の場所」そして「関係するすべての人間の利害」を巻きこむものであると主張している。[11]この「人間」という言葉の広い使い方は、生活様式の全体と／としての文化の概念を中心としたウィリアムズの用語法全体と関連づけられうる。実際、『二〇〇〇年に向けて』でウィリアムズは、「「生産としての社会」という概念」は「物質世界の内部における人間の関係の一形態を表すより広い概念――つまり十全な意味での生活様式（a way of life）の概念」に置きかえられるべきだと主張している。[12]

ウィリアムズは生活の糧という概念を導入することによって、文化の新たな理念を彫琢しようとしているのだろうか？　私はまさにそうだと主張したい。というのも、ウィリアムズは「生活の糧」の概念に依拠することによって、人工的なものや産業と等価なものとされる、したがって自然とは対立する何かとしての「人間」を超え出ていこうとしていたように見えるからだ。ロッド・ギブレットはその点を論じて、「生活の糧は文化／自然の二項対立を脱構築する」ものであり、「生活の糧は文化的かつ自然のものなのである」と正しく指摘している。[13] ただ私は、この脱構築は生活の糧の概念の導入で始まったわけではないということをつけ加えたい。その脱構築は、ウィリアムズの初期の主著である『文化と社会』からずっと存在してきたものであり、生活の糧の概念の真の深さと意義は、その系譜をたどらないと測ることはできないのである。ここで私の念頭にあるのは、『文化と社会』の「二人の文芸批評家」の章の補遺である、「有機体的（organic）」をめぐる有名な覚え書きである。[14]

この覚え書きは、一言で言えば、「有機体的」という観念の根本的な脱構築である。ウィリアムズによれば、この言葉はロマン主義以降に分断をこうむった。一六世紀にさかのぼると、「機械的な（mechanical）」と「有機体的（organical）」は類義語であったが、やがて人工的なものと有機体的なもの（つまり自然なもの、または自生的なものという意味での有機体的なもの）とのあいだの対立が支配的になり、そして興味深いことに、この対立が'organ'系の語群に忍びこんでいった。その結果、「組織化された（organised）」もしくは「組織（organisation）」――つまり、人間の意図によって人工的に想像された組織体――と、「有機体的（organic）」――それは自然なものであり、人間による介入を受けつけない――とのあいだの対照が、ロマン派以降の時代には支配的になっていったというのである。この対照は、文化／自然、都会／田舎、そして意図／自然な成長などといった対照へと拡張されていく。そして、ウィリアムズの仕事の全体は、こういった二重性によって生み出され、同時にそれを生み出してもいるような状況との格闘だったと言える。

もしウィリアムズの「エコロジー思想」が、この文化／自然の二項対立の克服をその中心に持っているのだとすれば、このエコロジー思想は、私たちにお馴染みのエコロジーとは――つまり、人間の文化や産業によって疎外をこうむった「媒介されていない自然」を回復することを目標とするようなエコロジーとは――かなり違うものであると分かるだろう。私はすでに、『ブラック・マウンテンズの人びと』が、ロマン派的な分離を加えられた文化と自然の観念からはかなり異質な観点を提示するものであることを示唆した。炭疽菌はこの文化と自然の対立を切り崩すものであろう。

というのも、それは自然災害であるのとまったく同等に、人間の産業――この場合は牧畜業――によってこそもたらされたものであるからだ。それは、震災が原発によってあのような災害となったこと、つまり「震災」の全体性においては文化・産業と自然は截然と分かちがたいことと同じである。ウィリアムズのエコロジー思想は、自然と人間による介入をひとつの全体的プロセスとして見て、その一部分を切り離された領域として抽象化はしないことを要請するものであった。言い換えれば、ウィリアムズは、人間も含んだ自然世界を、マルクスのキーワードを使うなら、「非有機体的な全体（an inorganic whole）」として見ることを要求する。

自然と人間の非有機体的な身体

『二〇〇〇年に向けて』で、ウィリアムズはマルクスに言及しつつ「生産」の瞬間について思考している。

生産という抽象は、真の問題、つまり物質世界における人間の社会的諸関係の形態を、特殊な、そして最終的にはイデオロギー的な視点で書き換えたものである。「人間が自分自身を作る」という正当にも影響力のある理念のうちにマルクスは、彼が同時代のうちに観察した発展したプロセスと結びつけられたある特殊な瞬間をとらえたのである――つまりそれは、自然へと介入してそれを生活（livelihood）のあらたな手段へと変容させる、つまり言い換えれば生産する、瞬間である。しかし「人間」――現実に生きる男性と女性――は、この特殊化された意識的な介入のはるか前に、自分たちの社会的ならびに物質的な技能や能力を発達させることによって、「自分たち自身を作」っていたのである。人間たちは、作りあげられた（constituted）自然のうちに、狩猟・採集社会のうちに生き、すでに高度な社会的・技術的な技量を発達させていた。その後に、連続する介入や生産の段階を通じて生じた変化は、自然と人間の両方を変容させたものの、それでもいくつかの主要な側面においてそれはより早い人間の時代と連続するものだった［…］。こういったプロセスが「生産」として抽象化され一般化されてはじめて、そしてこの意味での生産がほかの人間と自然のプロセスに優越した中心的な優先性を獲得してはじめて、その介入の様式――それは物質的であると同時に社会的でもある――は疑われるべきものとなるのである。決定的な疑問は介入――「生産」――そのものについてのものであるだけでなく、その自然そして人間に対する多様な実際的影響をめぐるものなのである。[15]

この一節は、『ブラック・マウンテンズの人びと』の全体的な意図を要約しているが、それは同時にマルクスの――より正確には、マルクス主義の――「生産」の観念に修正を施す身振りも示している。「生産」は人間による自然への「意識的介入」と理解することもできるだろうが、「人間が自分自身を作る」という観念によって、この「人間」と生の自然との間の対立は脱構築される。というのもこの定式においては、人間自身が「自然」の一部となるのであり、介入の対象となるからだ。ウィリアムズはここではこれ以上のマルクスのテクストの解釈を提示しているわけではない。しかしながら、この脱構築こそがマルクスの「エコロジー思想」の中心にあるのだ。[16]

ジョン・ベラミー・フォスターの一九九九年の論文「マルクスの物質代謝の亀裂の理論――環境社会学の古典的基礎」は、マルクスの著作を、エコロジー的な思考を基礎として理解する新たな道を開いた。マルクスは彼の労働価値論において自然を無視したという、（当時は）よくなされていた批判に反論して、フォスターは、マルクスの著作が、彼の時代に盛んに議論されていた、大規模農業によってもたらされた「土壌の消耗」の問題への応答であり、またこの問題の解決として一八三〇年から八〇年あたりにかけて起こり、ドイツの農業科学者ユストゥス・フォン・リービヒの名前と結びつけられる「肥料産業と土壌化学の革命を特徴」とする「第二農業革命」への応答であったことを示した。[17]

フォスターによれば、マルクスは「物質代謝の亀裂」という概念によってこのエコロジー的な危機を捉えた。『資本論』第三巻で、マルクスはリービヒを参照しつつ次のように書いている。

大規模な土地所有農場は、農業人口を可能な限りの最小限へときりつめていき、それと、大都市のどこまでも拡大する産業人口と対面させる。そのようにしてそれは、社会的な物質代謝の相互依存的プロセスの中に回復可能な亀裂を招来させる。その物質代謝は、生命の自然の法そのものによって命ぜられたものなのだが。その結果起こるのは、土壌の生命の濫費であり、それは単一の国家をはるかに超えた商業によって行われることになる。[18]

また、『資本論』第一巻で、マルクスは述べている。

資本主義的生産は、人口を巨大な中心へと集め、都市人口がいつまでも増加して優勢となる状況を引きおこす。これは二つの帰結をもたらす。一方ではそれは、社会の歴史的な推進力を集中させる。その一方でそれは、人間と土地とのあいだの物質代謝的な相互作用を乱す――つまりそれは、食料や衣料という形で人間によって消費された、土壌の構成要素が土壌へと環流することをさまたげて、土壌の継続的な肥沃さのための永続的な自然の条件の作動を阻害してしまう［…］。それゆえ、資本主義的生産は、生産の社会的なプロセスの技術と、高度な組み合わせを発達させはするのだが、それは同時にあらゆる富の根源的な源泉――つまり土壌と労働者――を同時に掘り崩すことによっているのである。[19]

このように、マルクスは自然と労働力を、資本主義的生産のためにもっとも重要な二つの富の源泉とみなしたのだが、自然が労働者のように再生産できないことは、リービッヒが論じた土壌の消尽の問題が浮き彫りにしたことだったのだ。マルクスの成熟期の仕事の中心には、この、資本主義的生産の必然的帰結として生じた、人間と自然とのあいだの物質代謝関係の亀裂の問題があったのだ。

フォスターの主張に対しては批判がなされてきた。それは主に、マルクスの思想におけるエコロジー的な関心の中心性とその一貫性をめぐるものであった。[20] だが、「物質的代謝」論のもっと決定的な問題は、自然／人間の二項対立の地位にかかわるものであった――つまり、人間と自然とのあいだの物質代謝的関係というこの議論において、その二つは別々の実体として捉えられているのか、という問題である。『生命の網の中の資本主義』の著者、ジェイソン・W・ムーアはそこに問題を見いだす。ムーアの主張によれば、物質代謝の亀裂の理論は「関係主義的な存在論（自然の中の人間）の哲学的＝言説的な容認と、自然／社会の二項対立の実践的＝分析的な認可（人間と自然）」とのあいだの「解消不可能な矛盾」に直面する。[21] 彼は、亀裂の理論はこの矛盾を解消するという約束を果たせなかっただけでなく、自然／社会のデカルト的二項対立によりかかってしまい、それを「強化」したという。[22] ムーアは、人新世の概念はこの対立を保存していると批判し、その代わりに

「資本新世（Capitalocene）」の時代区分を提案する。ムーアにとっては、人新世の観念の問題とは、それが「生命の網のなかにあるモザイク状の人間活動」を、「抽象的な〈人類〉へと、均質的な活動のユニットへと」還元してしまうことである。そしてそれとともに、「不平等、商品化、帝国主義、家父長制、人種的な編成そしてさらに多くのこと」が「大幅に考慮されなくなってしまう」ことだ。[23]

斎藤幸平は、『マルクスのエコロジカル・ソーシャリズム』〔邦題『大洪水の前に』〕で、新編集のマルクス＝エンゲルス全集（MEGA）を利用した詳細な文献研究を基礎に、この議論の振り子を「物質代謝」論の方にもう一度揺り戻そうとした。斎藤によれば、人間と自然との関係を物質代謝的な交換関係として見ることは、ムーアが主張するようにそのプロセスを抽象化することではない。それどころか、斎藤によれば、『ドイツ・イデオロギー』以降のマルクスは「人間と自然のあいだの関係の、いかなる種類の超歴史的な取り扱い」も拒んで、「人間と自然とのあいだのたえまない物質代謝」を主張していた。[24]

本論ではこの論争に最終的な審判を下すことはできない。そこで私は、斎藤が強調するマルクスのもうひとつの隠喩に注目したい。それは、この論争とウィリアムズの「生活の糧」の理念とを結びつけてくれるだろう――つまり、「非有機体的身体」としての自然である。一八四四年の『経済学・哲学草稿』で、マルクスは述べている――「自然は人間の非有機体的身体である――つまり自然は人間の身体であり、死なないでいるためには、自然との終わりのない交換に身を置かなければならないのだ[25]」

この「非有機体的身体」という隠喩のうちにおける生命のあるものと生命のないものの奇妙な共存は、『文化と社会』の「有機体的」についての注記を彷彿とさせるだろう。確かに、『資本論』からの上記の二つの引用は、人間／自然の対立の地位について解釈の余地を多く残しているし、ここまで素描したようにそれは活発な論争を引きおこしてきた[26]。しかし、ウィリアムズが、必ずしもマルクスを直接に参照することなく、ずっとこの問題に関心を抱いており、それが彼の晩年の仕事において「生活の糧」の概念と『ブラック・マウンテンズの人びと』という新たな形をとろうとしていた、ということは、ほとんど顧みられてはこなかった。

『風の谷のナウシカ』と自然／人間の脱構築

さて、一気に日本に跳躍してみよう。ここまで素描した有機体的／非有機体的もしくは人間／自然の対立の脱構築は、宮崎駿の作品の核心にも存在する。もちろん宮崎とスタジオジブリ作品といえば、エコロジー的な志向を持った作品であると一般的にはみなされ、その最初の代表作が『風の谷のナウシカ』（映画版一九八四年、スタジオジブリの前身であるトップクラフト制作）ということになるだろう。

　物語は現在から二千年後の地球であるが、その千年前に、最終核戦争を彷彿とさせる「火の七日間」によってそれまでの文明が失われた状況にある。地球の表面のほとんどは腐海と呼ばれる、瘴(しょう)気(き)を吐く植物の森に覆われ、その森は異形の「蟲」たちの住みかとなっている。そしてその蟲たちの上に君臨するのが、「王蟲(オーム)」と呼ばれる、巨大なダンゴムシのような蟲である。

　主人公のナウシカは、「風の谷」という、腐海のほとりの、「酸の海」から吹く風に守られて共同体的な生活を営む王国、というよりは小さな村の王女である。ある日、強大なトルメキア王国のカーゴ飛行船が風の谷に墜落する。そのカーゴ船は、「巨神兵」の胚を運んでいたことが判明する。巨神兵とは、「火の七日間」を引きおこしたとされる巨大なヒューマノイド兵器である。これを追って、クシャナ皇女に率いられたトルメキア部隊が風の谷を侵攻し、ナウシカは半ば人質のように、クシャナの進軍に加わることになる。

　巨神兵の胚は、工業都市ペジテの地下深くから発掘されたものであった。そのペジテ市の人びとは、王蟲の幼生を使って王蟲たちを誘導し、怒り狂った王蟲の暴走（大海嘯と呼ばれる）を兵器のように利用する方法を編み出している。そして、最終的にはトルメキア軍を風の谷もろとも蹂躙しようとする。

　映画版の結末では、ペジテ兵から王蟲の幼生を取り返したナウシカが、風の谷と津波のごとく押し寄せる王蟲とのあいだに立ちはだかる。ナウシカはその津波に呑まれ、命を落としたかに見える。しかしその瞬間、王蟲たちは突然に怒りを収め、その黄金の触手の力でナウシカを蘇生させる。ナウシカは伝説の救世主「青き衣の者」であることが明らかになる。

主題的に重要なのは、腐海の蟲たちとの意思疎通をする能力を持つナウシカが、腐海の真実に気づいているという点である。すなわち、腐海は「火の七日間」によって汚染された土壌を浄化するために生まれたという真実だ。映画版は、自然が持つ自己治癒能力の希望とその賛歌によって終わっているといえる。

このような結末ゆえに、宮崎駿は「グリーン」であると、つまりある種の環境保護派であるとみなされてきた。その一方で、この物語に力を与えたのは、その冷戦的かつ黙示論的な想像力である。この限りにおいて、そういったものがレイモンド・ウィリアムズと共有されていたと言うことはできるだろう。『風の谷のナウシカ』映画版が公開される一年前に出版された『二〇〇〇年に向けて』でウィリアムズが、可能性のある社会変容のための運動として、エコロジー運動と反核運動を挙げていたことを考えれば(27)。しかし、『ナウシカ』の映画版は、本論の議論の文脈では明らかに大きな問題を抱えている。結末における人間と自然の勢力の対立、そして自然の自己治癒力を象徴する腐海の浄化は、この作品が自然と人間の技術、もしくは人間の介入とのあいだの二重性を保持しているのでないかぎり、成立不可能なものである。この作品は人間の愚かさの結果としての環境汚染を嘆き、自然の自己治癒力を称賛する。

宮崎駿は、そのようなものよりははるかに深い思想家である。『風の谷のナウシカ』の漫画版は以上のような図式を完全に反転する。漫画版は七巻構成であり、映画版の内容は一巻と半分しかカヴァーしていない。漫画版は、生命と自然の本質について、より複雑で深い探究を行うものになっている。物語の大団円はとりわけ衝撃的である。漫画版では、腐海と蟲たちについてはさらなる真実が用意されている。それらは、自然のものではないのだ。それらは千年前の科学者たちによって人工的に作りだされたものだったのである。その科学者たちは、世界の破滅が不可避だと悟ると、地球を浄化するための生命システムを作りだしたのであり、それが腐海なのである。さらに、科学者たちはオリジナルの人間たちを胚の状態で保存する計画を立てた。もっとも恐ろしい「真実」は、この作品における「人間たち」、ナウシカその人も含む人間たちは、汚染された環境にある程度耐えることができるよう遺伝子操作された生物だったのである。計画は、その人間たちを、オリジナルの人間――正確に言えば、同様に遺伝子操作を受けて攻撃性を減らされた人間なのだが――に、地球が浄化された時点で置きかえるというものだった。

この衝撃の真実を知ったナウシカが取る行動はさらに衝撃的である。彼女は「墓所」と呼ばれる施設を、その中に保管された人間の胚と科学知識とともに、完全に破壊し、そこで知った上記の真実は彼女の胸の奥にしまって、人びとと共に生きていくことを決断するのだ。彼女の行いの論理とは、墓所の主たちに彼女が向ける言葉を引用するなら、次の通りだ――「私達の身体が人工で作り変えられていても私達の生命は私達のものだ／生命は生命の力で生きている／その朝〔世界の浄化の日〕が来るなら私達はその朝にむかって生きよう／私達は血を吐きつつくり返しくり返しこの朝をこえてとぶ鳥だ！」[28]

かくして、『ナウシカ』の漫画版は自然なものと人工のものとの対立を徹底的に脱構築し、まったく異質なエコロジー思想を生み出している。ナウシカのロジックにしたがえば、あらゆるものは自然であるし、同時にあらゆるものは人工である。

『もののけ姫』、生産、そして生活の糧

宮崎駿はこういった思想を、『ナウシカ』の漫画版が完結した二年後の一九九七年公開の『もののけ姫』でさらに展開し、複雑化していく。『もののけ姫』は、皮相的に見れば、日本の原初の自然の破壊をテーマにするように見えるが、実際はより複雑な映画である。この作品は、物質的生産（製鉄業）とその自然との関係を直接的に表象することを通じて、自然／人間の二項対立の脱構築のさらなる含意を検討するものになっている。

『もののけ姫』はある種の歴史ファンタジーものであり、室町時代（一三三六―一五七三年）の、

中国地方の、この後述べるたたら製鉄が行われていた鳥取県から島根県の中国山地を舞台としている。物語は四つの勢力の抗争によって前に進む。中国山地の深い森はいまだに、もののけと呼ばれる巨大な動物たちの形をとったさまざまな神の領域である。サン、もしくはもののけ姫は、生け贄として山犬（犬神）に捧げられたが山犬に育てられて、人間ではあるもののもののけたちの勢力に属している。人間は三つ（もしくは四つ）の勢力に分かれている。先に四つ目を述べておくと、それは脇役的に出てくる侍たちである。宮崎は黒澤映画以来日本の過去の社会の紋切り型のイメージとなっている侍と農民の世界を提示することを意識的に避けた[29]。その代わりに彼が置くのは製鉄業のコミュニティであり、しかもしれは女性の指導者であるエボシによって統率されている。たたら製鉄の溶鉱炉を中心として「たたら場」と呼ばれるこのコミュニティは、社会からの追放者たちによって成り立っている。つまり、戦争の間に売られた女性たちやハンセン病患者である。もうひとつの勢力は、画面に登場することはない中央政府の「帝」に送りこまれたさまざまな手先たちである。帝は、鹿のような動物神であらゆる神を束ねる神であるシシ神の首が彼に永遠の生命を与えると信じ、それを手に入れるために手先を送りこんでいるのだ。エボシは人間の産業（製鉄）のために森の支配権を手にしたいと考えており、帝に協力し、サンと対立する。そして最後の勢力が主人公のひとりで物語全体の狂言回しともいえるアシタカである。彼は以上のどの勢力にも属さず、それらの勢力を調停しようと必死で動く。アシタカが中央政府によって東北地方へと追いやられた一族（蝦夷）の一員であることも重要である。

この作品は、手つかずの自然の方が人間による介入よりも道徳的に優れたものであると観客が安易に想定はできないように構築されている。確かに、たたら場の人びとによる製鉄は周囲の森を破壊するし、エボシの野心とは自然を彼女の支配下に置くことである。しかし、製鉄という事業は、ウィリアムズが言う意味での生活の糧（livelihood）と見なされるべきものである。製鉄が生活の糧だ、というのは、彼らがそれを生活のためにやっているのだから許されるべきだ、ということではない。そうではなく、重要なのは、宮崎駿がこの作品においても自然と人間の対立を脱構築しているということだ。

作品の結末において、シシ神はエボシに殺害され、首を失ったシシ神は「デイダラボッチ」へと姿を変える。デイダラボッチもしくはダイダラボッチは、一般的な民間伝承においては、山や川や湖を作ったとされる巨人であるが、このデイダラボッチはむしろ、人工のものであれなんであれ、すべてを破壊する。デイダラボッチによってたたら場が破壊されるだけでなく、森は枯れ、山々はすべて草木を失ってしまう。だが、最後のシークエンスでは緑が魔法のように急速に山々に戻る姿が描かれる。しかし、このシークエンスが示しているのは、『風の谷のナウシカ』の映画版が示唆したような、自然の自己治癒力などではない。それどころか、この作品は自然の観念をいわば逆立ちさせている。ロマン派的な自然観は、作品の当初の神の森が、原初の純粋な自然を意味し、それが人間の産業によって破壊されていると考えるだろう。だが、宮崎駿がこの作品で発している教訓とは、私たちはそのような自然観から離れなければならないということだ。宮崎にとっては、デイダラボッチに破壊された後の自然こそが「自然」(第二の自然と呼ぼう)なのであり、破壊以前の自然は純粋な自然であるどころか、それこそ観念的で人工的な自然なのだ。その第二の自然とは、神なき後に人間たちと神聖を失ったもののけたち、いや獣たちがそれでも「生きねば」ならない自然である。その生とは、生活とは、ウィリアムズの言う「生活の糧」を含みこんだ生となるだろう。第二の自然とは、人間の生活の糧を含みこみ、それと不可分の「自然」なのである。それは、マルクスの言葉で言えば人間の「非有機体的身体」なのだ。その意味でこそ、デイダラボッチによる破壊は、ナウシカによる墓所の破壊を引き継いだものだと言える。

(ポスト)モダンな自然を超えて、もしくは政治の終わりを超えて

理屈の上では、宮崎作品とウィリアムズの生活の糧の理念には明確な親和性がある。しかしながら、とりわけ宮崎作品は「エコロジー」的であり、ある点では反近代的であると考える人たちにとっては、宮崎作品には何か不穏なものがあるだろう。その不穏さとは、宮崎駿が抱えている破壊への衝動である。彼にはどこか、世界は滅びてしまっても構わないという欲動らしきものがある。

これをどう捉えればいいだろうか？

漫画版『ナウシカ』の場合、この作品は確かにウィリアムズのエコロジー思想ならびに『ブラック・マウンテンズの人びと』と重要な特徴を共有している。両者は自然／人間の二項対立を否定するし、また両者が想像力を悠久といっていい時間へと拡張していく。最初に述べたように、この時間的な枠組みによって私たちは、より短い時間のパースペクティヴでは認識不可能な変化の連続性を認識することが可能になっている。『ブラック・マウンテンズの人びと』は三巻で完結するはずであったが、編集したジョイ・ウィリアムズの説明によれば、その結末は次のようなものになるはずだった。ブラック・マウンテンズの長い歴史の物語はエリスの少年時代（つまり語り手グリンの二代前）に合流し、グリンによる現在の語りは行方不明になっていたエリスの発見で幕を閉じる。エリスが発見される場所は、物語が始まったまさにその場所、つまり二万三〇〇〇年前にマロッドと仲間たちが馬の群れを捕らえることに成功した場所である。[30] この時間と場所の合流は、私たちの現在を、ウィリアムズ自身の『マルクス主義と文学』での表現を使うなら、「真の社会的現在」に位置づけるはずだっただろう。その現在とは、変化する社会の全体から切り離されて抽象化された瞬間ではなく、進行中の変化のプロセスと一体のものになった瞬間である。[31] それと呼応するかのように、宮崎は漫画版『ナウシカ』が完結したあとのインタビューで、この物語の結末は、私たちの現在の歴史の始まりであると述べている。[32] これはおそらく『もののけ姫』の結末にも言えることだろう。神なき「第二の自然」は、私たちの社会的現在そのものなのである。いずれの場合においても、私たちの現在（物語の結末）は、非常に長い、しかしあくまで連続した変化のプロセスの終わりに位置づけられている。しかし、その終わりは終わりではない。歴史のプロセスは続くのだ。

そのような親和性にもかかわらず、宮崎にはウィリアムズとはどこか異質なものがある。それは宮崎の冷戦政治（の終焉）との関係にかかわるものである。宮崎が『ナウシカ』を雑誌『アニメージュ』に連載した期間（一九八二—九四年）は、近代世界史における決定的に重要な瞬間であった——つまり、一九八八年に死去したウィリアムズが目にすることはなかった、ソヴィエト連邦の解体と冷戦の終わりである。前に触れたインタビューで宮崎は、社会主義に対する幻滅を隠すことはない。彼は自分がかつて信奉したマルクス主義は捨てて、（労働者）庶民の美徳といったものはもはや信じないと率直に述べている。[33] これは、宮崎の単なる政治的信条だけの問題ではない。それは、ここまで論じてきた自然／人間の二項対立の脱構築について、重大な帰結をもたらすのだ。決定的なのは、人間との対立による定義から解放された自然の概念は、新自由主義的な——したがって冷戦以降の、もしくはポストモダンな——社会と自然の概念と親和性があるという点である。この新自由主義の自然／社会の概念においては、自然と社会との二項対立は否定され、あらゆるものは人間による意図的な介入から解放されるべきだということになる（つまり、いかなる計画も回避され、あらゆるものは自由な規制を加えられない市場に任されるべきだということになる）。しかしその一方で、新自由主義者たちが純然たる無秩序もしくは非‐秩序を志向したと考えては間違いである。そこでは、フリードリヒ・フォン・ハイエクの「自生的秩序」の概念が、不気味にもマルクスの「非有機体的身体」と――少なくともレトリックの上では――似ていることに気づくだろう。[34] この二つの表現はいずれも、生命のある、もしくは自然なもの（自生的／身体）と、生命のない、もしくは人工的なもの（秩序／非有機体的）との混合物であり、この形容矛盾によって両者はそれらの対立を脱構築するのだ。先に述べた、既存の秩序を破壊したいという欲動のことを考えると、宮崎はこの類似性をともなう対立の中ではハイエクの側に属すると見ることさえできる。[35]

ここで、人間の意図の問題は、二つの局面において重要性を獲得する。まず一方では、人新世といった歴史的パースペクティヴ――その時間的枠組みはあまりにも広大すぎて、個々の人間の意図など何の意味もないように感じられる――において人間の意図についていかにして語るのかという局面がある。そしてもう一方で、もし自然／人間の区分が存在せず、人間の意図が（主観など持たない）自然に属すとみなせるなら、人間の意図には場所がないという局面である。つまりこれは人間中心主義という大きな問題ではあるのだが、第二の局面は歴史的な限定を加えることもできるものだ。先に述べたように、後者のような意味での人間の意図の否定は、グローバルな新自由主義の磁場に容易にとらわれてしまう。この大問題には最終節で答える試みをしたい。

第一の問題についてはすでに部分的に答えを出しておいた。『ブラック・マウンテンズの人びと』

は、人間のコミュニティ、社会、産業、そしてとりわけ生活の糧に変化を加えていくにあたっての人間の意図の地位への探究だったと言い換えることもできる。ところが、この小説においては、意図は意図せずに実現されていく。牧羊を例にとってみよう。「インカールの火とアーロンの豚」という章（紀元前五四〇〇年あたり）では、体の弱いアーロンという少年が、彼の暮らす狩猟社会において牧畜を発明する寸前まで迫るのだが、その試みは男たちに笑われ、彼の豚は狼に食われてそれは失敗に終わる。その後、「グリンからエリスへ」の挿入（現代の語り）の後、「ゴードとナミラは新しい人びとに出会う」（紀元前三四〇〇年あたり）において、私たちは二千年という時を経て牧畜農耕社会が実現しているのを目にすることになる。アーロンの「意図」が牧畜社会を生み出したと言うことはできないし、また小説はこの二千年のあいだに何が起きたかを説明することもない。しかし同時に、彼の意図は単に失敗し（彼の人生の間では確かに失敗し、その後に何が起きたかを彼が知ることは不可能だとはいえ）、その後に起きたことに何の影響もなかった、と言うこともやはりできないのである。

ウィリアムズは、『ブラック・マウンテンズの人びと』において、この知り得ない未来を知る方法に名前を与えている。最初に紹介した「黒いよそ者と金の雄羊」の結末部分で、炭疽菌の流行で家族を失った三人の子どもたちが山中を彷徨し、湖の畔に暮らす狩猟・漁業部族に発見され、その一族に迎え入れられる。するとその後、奇妙なことが起きる――

その新たな場所でその子どもたちが漁や狩りをしながら育っていったとき、湖の部族の人びとはしばしば、子どもたちの目に奇妙なまなざしを見るようになった。そのまなざしを、人びとは盲目のまなざしと呼ぶようになった。目は開いているけれども、どこか届くことのできない遠くをまなざしている［…］ずっと後になって、漁と狩りの季節がいくつも過ぎた後のある朝に、いまや若い男と女になった彼らのうちの二人が、手を取り合って、彼らの盲目のまなざしで、そびえる山腹を見上げているところが目撃された。その山腹は、彼らの一族の生活が［…］これをかぎりに終わってしまったように見えた場所であった。[36]

世界の終わりを超えて飛んでいくのだと宣言したナウシカは、千年前の人間の努力の結実であった墓所を破壊した際に、この盲目のまなざしを持っていたのだろうか？　彼女は、見えることのない目をもって、さらに千年後に何が起きるのかを知らずに知っていたのだろうか？　アシタカは、「曇りなき眼」をもって何をするか決すると主張したのだが、彼もまた、彼自身の生が終わった後の人びとの生活と生活の糧を、知らないままに見すえたのだろうか？　彼らは、自分たちの世界を「これをかぎりに終わってしまった」ものとして見たのだろうか？　私はこれらの疑問には答えずにおこうと思う。というのもこれらは、本論の冒頭で述べたような歴史的な瞬間に置かれた私たちに突きつけられた疑問であるからだ。その代わりに、最後に場所とコミュニティという主題を検討したい。

場所の政治——ウェールズ系ヨーロッパ人と日系中央アジア人？

意図の問題は、避けようもなく集団性の問題を呼び寄せる。というのも、ジェイソン・W・ムーアによる人新世批判に戻るなら、人間／自然の二項対立の脱構築は、逆説的にも、超歴史的で一元論的な「人類」の抽象化（もしくは新自由主義者であれば逆に「自然」の抽象化）へと落ち込んでしまうのであり、たとえ私たちが「盲目のまなざし」という暫定的結論に至ったとしても、その盲目のまなざしを誰が持つのか、という問題を考える必要があるからだ。この問題は、前節で提起した二つ目の論点にかかわるものだ。つまり、ポスト冷戦の、グローバルな新自由主義の問題だ。もし冷戦の終結がグローバリゼーションの新たな世界観をもたらしたなら、そして現在の環境運動の多くが同時に反グローバリゼーション運動でもあるなら、それに代わるオルタナティヴな空間性はどのようなものになるのか——そしてそれは、どのような意図を持った誰のための空間なのか——という疑問が残ることになる。

この点に関しても、ウィリアムズと宮崎のあいだには興味深い共鳴関係が存在する。非常に表面的には、両者ともオルタナティヴな空間としてネーションに向かうように見える。宮崎の隠すことのない反米主義は、同時に反グローバリゼーションのナショナリズムに接近しうるし、その文脈では『もののけ姫』はある種の国民神話として読まれうる。ウィリアムズは、ウェールズのナショナリズム政党であるプライド・カムリ（ウェールズ党）に、一九六〇年代には入党していた。[37] そのようなナショナリズムは、排外主義を基調とするポストブレグジットの現在においては、深刻な政治的含意を持ち得る。しかし、両者は決してネーションを最終的なオルタナティヴとみなしてそこに安住しようとはしない。『ブラック・マウンテンズの人びと』は、均質的なネーションとしてのウェールズ人の物語であるどころか、その根本的な異種混淆性についての物語である。実際、原始島民がケルト人、ローマ人、アングロサクソン人、ノルマン人と（そのように名指されることはないのだが）混淆していくこの小説は、均質的なウェールズのネーションという観念を根本的に脱構築するだろう。ウィリアムズ自身の言葉が証言しているように、この小説はローカルな歴史なのではなく、ヨーロッパのさまざまな別の場所のうちのひとつの歴史として構想されているのである。

その地域に起こったことは、ローカルなものではあるのですが、何ら制限を加えるような意味でそうなのではありません。その地域で生じた変化は、ヨーロッパ文化全体において起こった変化を反映するものでした――生活の糧（livelihood）のあり方、テクノロジー、家族のタイプなどにおける変化です[38]。

もちろん、このような文脈においてこそ、ウィリアムズが自分をウェールズ系ヨーロッパ人だと考えているという、よく引用される言葉は十全な重みを獲得する[39]。

宮崎の場合は、中央アジアがウィリアムズにとってのヨーロッパのような空間的想像領域となっている。宮崎は、そのキャリアのはじめから中央アジアのイメージに取り憑かれてきた。彼が最初に発表した漫画『砂漠の民』(一九六九—七〇年)はシルクロードをめぐる民族闘争を描くものであった。この「デビュー作」における中央アジアのイメージは、『シュナの旅』(一九八三年)そして『風の谷のナウシカ』のような作品で明白に反復されていく(宮崎は最初、『ナウシカ』の舞台を砂漠にすることを考えていた[40])。最新作の『風立ちぬ』(二〇一三年)は大戦間期日本を舞台としつつ、重要な夢のシークエンスにおいて内モンゴルのフルンボイル平原のイメージを登場させている[41]。

説明した通り、『もののけ姫』は室町時代の日本に設定された歴史ファンタジーである。見方によってはこの作品は、国民創成の神話的瞬間を描いているという意味で、基本的にはコズモポリタンな宮崎作品の中にあって例外的にナショナリスティックなものと見ることもできる。しかしこの作品は、『ブラック・マウンテンズの人びと』と同様に、かなり異質な空間的想像力を基礎としている。この映画での日本は、もしくは少なくとも西日本は、中央アジアの延長線上にある、またはその一部として捉えられているのだ。宮崎はくり返し、植物学者の中尾佐助に大きな影響を受けたことを認めている。中尾佐助は「照葉樹林文化論」によって知られているが、『もののけ姫』の森は中尾の説を基礎としているのである。[42]『栽培植物と農耕の起源』（一九六六年）そのほかの著作で提唱された中尾の説とは、ヒマラヤ山脈から西日本まで広がる、中尾が「照葉樹林文化圏」と呼ぶ地域には一定の共通性が存在する、というものである。中尾の理論について興味深い点は、彼の議論が植物学のみに限られたものではなく、「文化」のもっとも広い概念に依拠して、植物学、農業、そしてそれらに基づく人間の生活といったものを含みこむ議論をしていることである。中尾の言う「文化」は、ウィリアムズの「文化」の定義を想起させつつ、「生活の糧」にも接近している。

「文化」というと、すぐ芸術、美術、文学や、学術といったものをアタマに思いうかべる人が多い。農作物や農業などは〝文化圏〟の外の存在として認識される。

しかし文化という外国語のもとは、英語で「カルチャー」、ドイツ語で「クルツール」の訳語である。この語のもとの意味は、いうまでもなく「耕す」ことである。地を耕して作物を育てること、これが文化の原義である。

［…］人類の文化が、農耕段階にはいるとともに、急激に大発展をおこしてきたことは、まぎれもない事実である。その事実の重要性をよくよく認識すれば、〝カルチャー〟という言葉

で、〝文化〟を代表させる態度は賢明といえよう。

人類はかつて猿であった時代から、毎日食べ続けてきて、原子力を利用するようになった現代にまでやってきた。その間に経過した時間は数千年ではなく、万年単位の長さである。また、その膨大な年月の間、人間の活動、労働の主力は、つねに、毎日の食べるものの獲得におかれてきたことは疑う余地のない事実である。[43]

さらに中尾は、「農業は生きているどころではなく、人間がそれによって生存している文化である。消費する文化でなく、農業は生産する文化である」とつけ加える。[44]

中尾の理論そのものの成否はここでは論じることはできないが、重要なのは、中尾の「文化」の概念を可能にしているのは、中央アジアから日本までをひとつの「文化圏」として捉えるような空間的拡張であり、また数万年単位で考えるような時間的拡張だという事実であり、そのようにして導き出された「文化」の概念はウィリアムズの「生活の糧」と比較しうるものであるということだ。農耕という生産を「文化」と呼ぶことで、中尾は自然と人間の二項対立を超えていく。さらに重要なのは、この中尾の著作が宮崎に対して持った深い影響である。一九八八年に書かれた、「呪縛からの解放――『栽培植物と農耕の起源』」というタイトルの短い記事で宮崎はこの本が彼に与えた巨大な影響を赤裸々に記している。宮崎はこの記事で、彼が戦後日本でどのように育ち、いかにして

「日本がきらいな少年」になったか、いかに「中国や朝鮮、東南アジアの国々への罪の意識におの の」いたかを述べている。しかし、宮崎が中尾の『栽培植物と農耕の起源』に出会った時、宮崎は次のような経験をする。

> ぼくは自分の目が遥かな高みに引き上げられるのを感じた。風が吹きぬけていく。国家の枠も、民族の壁も、歴史の重苦しさも足下に遠ざかり、照葉樹林の森の生命のいぶきが、［…］自分に流れ込んでくる。(45)

もちろん、これは罪の想像的な解消であり、宮崎の中央アジアへの想像力はそのような解消に依存している、したがって帝国主義の遺産の忘却に依存しているということもできる。だが、『もののけ姫』における想像の日本を以上の視点から見れば、日本とその文化そして自然の一元論的なヴィジョンが複雑化されていくことも確かなのである。

この視点から見ると、『ブラック・マウンテンズの人びと』と『もののけ姫』はかなり類似した構造を持っていると分かる。この二つの作品のアクションはいずれも、比較的狭い山岳地域の中で起きる。両者とも、外部の勢力によって抑圧された人びとの生き残りのための苦闘を描く。だが、その人びとの「生活の糧」は、人びとは気づいていないとはいえ、より広いネットワークにつながっている――前者の場合はヨーロッパ、後者の場合は中央アジアと東アジアに。そのような空間的ネットワークの中に置かれることによって初めて、両方の作品の人びとの生活の糧は、ウィリアムズか考えたような真の意味での「生活の糧」としての姿を現しうる。

このすべてを要約するなら、宮崎は、ウィリアムズがジョージ・オーウェルについて述べていた「エグザイル」だ、ということができるかもしれない。[46] エグザイル（故郷喪失者）はヴェイグラント（vagrant：放浪者）と対立するものであり、ヴェイグラントが自分のコミュニティから単に離脱していくのに対して、エグザイルは自分で選択したコミュニティへの「意識的な所属」もしくは「否定的同一化」を必要とする。[47] エグザイルは、故郷を失いつつ、帰るべき故郷を作ろうと努力する存在なのだ。そのようにして作られた故郷は、もはや自然の＝生まれつきのものではあり得ない。宮崎については、最終的に、彼の選択したコミュニティは中央アジアの草原のヴィジョンの中に見いだされる。その草原は、宮崎へのインタビューのタイトルのひとつを借りるなら、「風の帰る場所」なのである。[48] 宮崎は、ウィリアムズがブラック・マウンテンズに向けたように、この場所へと彼の「盲目のまなざし」を向けたのである。そしてそこに「帰る場所」を見いだしたのだ。

注

（1）警察庁資料による。https://www.npa.go.jp/news/other/earthquake2011/pdf/higaijyoukyou.pdf

（2）Raymond Williams, *People of the Black Mountains, Volume I: The Beginning* (London: Paladin, 1990), p. 221.

（3）Raymond Williams, *People of the Black Mountains, Volume I*, p. 231.

（4）河野真太郎『〈田舎と都会〉の系譜学——二〇世紀イギリスと「文化」の地図』ミネルヴァ書房、二〇一三年、四〇頁。

（5）大貫隆史『「わたしのソーシャリズム」へ——二〇世紀イギリス文化とレイモンド・ウィリアムズ』研究社、二〇一六年、一六二頁。本論の議論はこの第八章の『ブラック・マウンテンズの人びと』論に多くを負っている。

（6）https://www.youtube.com/watch?v=EiFWHtKOcj0（二〇二三年四月一五日閲覧）この動画をアップロードした人物（Richard Wise）は、レイモンド・ウィリアムズが「SERAの高名な会員」であったと述べている。真偽は確認できていない。

（7）Raymond Williams, 'Ideas of Nature' in *Culture and Materialism* (London: Verso, 2005), pp. 67-85.〔「自然の観念」『共通文化に向けて　文化研究I』川端康雄編訳、みすず書房、二〇一三年、九二—一二〇頁〕'Socialism and Ecology' in *Resources of Hope* (London: Verso, 1989), pp. 210-226.〔「社会主義とエコロジー」『共通文化に向けて　文化研究I』一七六—二〇一頁〕'Between Country and City' in *Resources of Hope*, pp. 227-237.

（8）Raymond Williams, *Towards 2000* (London: Chatto and Windus, 1983), chapter 5.

（9） Raymond Williams, 'Between Country and City', p. 237.

（10） Raymond Williams, *Towards 2000*, p. 262.

（11） Raymond Williams, 'Ecology and the Labour Movement', https://www.youtube.com/watch?v=EiFWHtKOcj0

（12） Raymond Williams, *Towards 2000*, p. 266. 強調原文。

（13） Rod Giblett, 'Nature Is Ordinary Too' in *Cultural Studies*, 26:6, pp. 922-933, p. 929.

（14） Raymond Williams, *Culture and Society: 1780-1950* (New York: Columbia University Press, 1958), pp. 263-264.

（15） Raymond Williams, *Towards 2000*, pp. 264-265.

（16） この路線でのウィリアムズによるマルクスのテクストの解釈については、'Marx on Culture' in *What I Came to Say* (London: Hutchinson Radius, 1989), pp. 195-225 を参照。

（17） John Bellamy Foster, 'Marx's Theory of Metabolic Rift: Classical Foundations for Environmental Sociology', *American Journal of Sociology*, Volume 105 Number 2 (September 1999), pp. 366-405, p. 373. フォスターの説明によれば、第一農業革命はエンクロージャーと農業の市場化という形で数世紀にわたって起き、第三革命は二〇世紀に、動物の膨大な集中、植物の遺伝子操作、肥料と殺虫剤のより集中的な使用によって起こった（pp. 373-378）。より拡張された議論はJohn Bellamy Foster, *Marx's Ecology: Materialism and Nature* (New York: Monthly Review Press, 2000)〔『マルクスのエコロジー』渡辺景子訳、こぶし書房、二〇〇四年〕を参照。

（18） Karl Marx, *Capital*, volume 3 (London: Penguin, 1981), p. 949. Qtd. in Foster, 379.

（19） Karl Marx, *Capital*, volume 1 (London: Penguin, 1976), pp. 637-638. Qtd. in Foster, 379.

（20） そのような批判の要約については、Kohei Saito, *Karl Marx's Ecosocialism: Capital, Nature, and the Unfinished Critique of Political Economy* (New York: Monthly Review Press, 2017), p. 99を参照。

（21） Jason W. Moore, *Capitalism in the Web of Life: Ecology and the Accumulation of Capital* (London: Verso, 2015, Kindle), No. 1795.

（22） Jason W. Moore, *Capitalism in the Web of Life*, No. 1800.

（23） Jason W. Moore, *Capitalism in the Web of Life*, No. 3875.

（24） Kohei Saito, *Karl Marx's Ecosocialism*, p. 97.

（25） Karl Marx, *Marx and Engels: Collected Works*, volume 3 (London: Lawrence and Wishart, 2010), p. 276. Partly cited in Saito, p. 65.

（26） ジュディス・バトラーも最近この論争に参加しているが、彼女は斎藤幸平による介入を見逃しているし、マルクスの「生計（subsistence）」の概念（それは、いずれも *Lebensunterhalt* と訳される生活の糧（livelihood）にかなり近い概念だと見なしうるのであるが）と有機体的／非有機体的なものの検討は、ウィリアムズを参照すればより良いものになったであろう。Judith Butler, 'The Inorganic Body in the Early Marx: A Limit-Concept of Anthropocentrism', *Radical Philosophy*, 2.06 (Winter 2019), pp. 3-17.

（27） Raymond Williams, *Towards 2000*, pp. 218-240.

（28） 宮崎駿『風の谷のナウシカ』第七巻、徳間書店、一九九五年、一九八頁。

（29） 宮崎駿『折り返し点　１９９７〜２００８』岩波書店、二〇〇八年、一一七頁。

（30） Raymond Williams, *People of the Black Mountains, Volume II: The Eggs of the Eagle*, (London: Paladin, 1992),

p. 322, p. 318.

（31）「新たな感情の構造とはふつう、真の社会的現在のうちにおいて、すでに形を成し始めているものなのである」Raymond Williams, *Marxism and Literature* (Oxford: Oxford University Press, 1977), p. 132.「感情の構造」は、ある場所と時間、もしくはある人びとを記述する用語として――つまり、「イデオロギー」と交換可能な概念として――扱われる傾向があるが、その考え方は修正が必要だろう。感情の構造は勃興的なもの、もしくはさらには前‐勃興的なものにかかわるものであり、したがって現在進行形の変化の全体的プロセスに関係しつつ、場合によっては支配的なものから逃れ去るようなものに関係する。*Marxism and Literature*, chapters 8 and 9を参照。

（32）宮崎駿『出発点　1979～1996』岩波書店、一九九六年、五三四頁。

（33）宮崎駿『出発点　1979～1996』五二九―五三〇頁。

（34）フリードリヒ・フォン・ハイエク『法と立法と自由Ⅰ～Ⅲ（ハイエク全集Ⅰ‐8～Ⅰ‐10』西山千明他訳、春秋社、二〇〇七―二〇〇八年。ハイエクの思想と「実際に存在する新自由主義」とのあいだの問題含みの関係については、ウェンディ・ブラウン『新自由主義の廃墟で――真実の終わりと民主主義の未来』河野真太郎訳、人文書院、二〇二二年を参照。

（35）河野真太郎『戦う姫、働く少女』堀之内出版、二〇一七年、第五章。

（36）Raymond Williams, *People of the Black Mountains*, volume I, pp. 233-234. 大貫隆史『「わたしのソーシャリズム」へ――二〇世紀イギリス文化とレイモンド・ウィリアムズ』第八章を参照。

（37）スウォンジー大学のリチャード・バートン・アーカイヴズにはウィリアムズのプライド・カムリの党員証が保管されており、それには一九六九年四月一二日の日付でサインがされている。WWE/2/1/12/1

（38）Raymond Williams, 'People of Black Mountains', in *Who Speaks for Wales?: Nation, Culture, Identity*, Centenary Edition, ed. by Daniel G. Williams (Cardiff: University of Wales Press, 2021), pp. 289-299, p. 289. Originally published in *Planet: The Welsh Internationalist*, 65 (October/November 1987), pp. 3-13.
（39）Raymond Williams, *Politics and Letters: Interviews with New Left Review* (London: Verso, 2015), p. 296.
（40）宮崎駿『シュナの旅』徳間書店、一九八八年。『出発点　１９７９～１９９６』五二二頁。
（41）半藤一利・宮崎駿『腰抜け愛国談義』文藝春秋、二〇一三年、Kindle, No. 1956.
（42）宮崎駿『折り返し点　１９９７～２００８』一二〇―一二一頁。
（43）中尾佐助『栽培植物と農耕の起源』岩波書店、一九六六年、Kindle, No. 12.
（44）中尾佐助『栽培植物と農耕の起源』、Kindle, No. 33.
（45）宮崎駿『出発点　１９７９～１９９６』二六七頁。
（46）Raymond Williams, *Culture and Society*, pp. 289-290.
（47）Raymond Williams, *George Orwell* (New York: Viking, 1971), pp. 15-16.
（48）宮崎駿『風の帰る場所――ナウシカから千尋までの軌跡』文藝春秋、二〇一三年。

第6章　The Return of the Native

――『少女を埋める』と、少女が帰る場所

桜庭一樹による自伝的小説『少女を埋める』を一読して、私は驚いた。驚いたというよりは、私自身の経験との響き合いに、すっと吸い込まれていくようでどきりとした。『少女を埋める』は二〇二一年二月末に語り手の父が危篤となり、コロナ禍という困難な状況の中、七年間帰っていなかった鳥取に帰郷し、父を看取る物語だったのだが、その正確に一年前、私は父の死の報を受けて故郷の山口に帰っていたのだ。二〇二〇年の二月終わりであるから、すでにみなマスクをし、小さな消毒液のスプレーを携帯していた。なんとか葬儀までは出したものの、その後感染症の状況が悪化し、法事にも墓参りにも満足に行けていない。

同時に私が想起したのは、私が研究対象としている、ウェールズ出身でイギリスの文学・文化研究者にして作家であったレイモンド・ウィリアムズの小説『辺境（ボーダー・カントリー）』（一九六〇年）だった。この自伝的小説の主人公マシューは、一九五〇年代の「現在」ではロンドン

で大学講師となっているが、ウェールズの鉄道労働者を父として生まれた階級移動者であり、その父が病に倒れたとの報を受けて帰郷する。物語は現在時と、マシューの幼少期でウェールズの炭鉱地帯がゼネストに揺れていた一九二〇・三〇年代を往還する。最終的に父は死去し、マシューは、人口移動を研究する経済史家としての学問的言語では不可能であった形で、故郷との「距離を測る」経験をする。

移動者が――もしくは故郷喪失者(エグザイル)が――、親の死をきっかけとして、かつて背を向けた故郷との距離を測る。これは近代に広く共有された物語であり、私がたまたま一年前に同様の経験をしたからといって、騒ぐようなことではないのかもしれない。

だが、『少女を埋める』で語られる経験と私の経験、そして『辺境』で語られる経験とのあいだには、決定的な差異もあり、それらを同じものと言うのは暴力的だ。それは一言で言ってしまえば、ジェンダーの差異である。日本のような国で、とりわけ保守的な地方の出身者にとって、ジェンダーという要素は故郷との距離を測るにあたって決定的な差異をもたらす。女性の故郷からの離脱は、独特の困難をともなう。その困難の原因となるのは典型的には母との関係であるが、それは単なる個人的関係ではありえず、その関係に浸潤(しんじゅん)している田舎の共同体の家父長制の問題である。その結果、測られる故郷との距離は、ずいぶん違うものになる。このことは、私がどれだけ言葉を尽くすよりも、『少女を埋める』そのものを読んでいただいた方が早いだろう。

ただし、『少女を埋める』においては、そのような問題について「一番大事なこと」がじつは書かれない。具体的には母からのショートメールの文面、それを読んで主人公の冬子の内面に去来したものは書かれることがなく、冬子の表面上の反応のみが書かれたりする(単行本一一八頁など)。読者は、この空白に何かざわざわしたものを読み込むしかない。これは欠点でもなんでもない。「一番大事なこと」は書けない運命にあるのだ。この作品で空白となっている母娘関係の核心は、例えば『ファミリーポートレイト』(二〇〇八年)のように、それはそれで壮絶であるけれども、やはり多くの迂回路を経た創作作品という形でしか表現できない。経験は、手の届かない向こう側にある。

それにしても私は、ここに挙げた三つの、手の届かない経験の間になんらかの共通=共有性(コモナリティ)を見いだしたいという欲望から身を引き剥がすことができないでいる。そこにこそ、この小説の意義はないか、と。

メディア小説としての『少女を埋める』

『少女を埋める』は私小説であり、日記体小説である。またテーマの上では、帰郷小説であると同時にフェミニズム小説だ。だがそれは「メディア小説」でもある。ここでいうメディアとは狭義のそれではない。レイモンド・ウィリアムズの名前が出たのは偶然ではないと思うが、ウィリアムズが論じたように、メディアとコミュニケーションはコミュニティと社会の「媒体」である。それはコミュニティを生み出しつつ、それらによって生み出される。ウィリアムズの原体験には、ウェールズの労働者階級があった。

列車が都市から、工場から、港から、炭鉱から走り抜けてくる鉄道というまさにその事実によって、そして広い社会的ネットワーク越しにほかの信号手たちと、じっさいに会ったことはないけれども声や意見や物語を聴いてよく知っている男たちと、仕事から離れたおしゃべりをしていた信号手たちにとってはとりわけ重要な手段であった電話と電信というまさにその事実によって、彼らは現代の産業労働者階級の一部だったのである。[1]

労働のためのインフラである電話・電信を奪用して、コミュニティと産業労働者階級としての自己認識を育てる労働者たち。そこには存在と認識とのあいだの近代的な弁証法が働いている。ウィリアムズは『長い革命』（一九六一年）の第一部第四章「社会のイメージ」で、「社会をめぐる私たちの思考は、抽象と現実の諸関係とのあいだの長い討論である」[2]としている。メディアは、この抽象的な「社会のイメージ」を私たちに与えつつ、同時にそれが「現実の諸関係」と討論を行って修正されていく具体的な場である。ウィリアムズが念頭に置いているのは、ラジオやテレビ、雑誌や新聞といったものだけではない。例えば文学もまた、それらと同一平面上に置かれるメディアである。

私たちの人間関係がますますメディア化(媒体化)されているコロナ状況において、この洞察は圧倒的な現実として迫ってきているだろう。『少女を埋める』はそのような現実を描いてみせる。冒頭から、父との面会はビデオ会議アプリを使ったものである(これ自体、直接会えないという否定的なものであるだけではなく、東京にいながらにして鳥取の病室とつながれるという、コ、ロ、ナ、が、可、能、に、し、た、文化の賜物であるが)。

では、『少女を埋める』における社会のイメージはどのようなものだろうか。まずは「田舎と都会」のイメージである。故郷鳥取と、冬子が作家として暮らす東京都心の社会。それは、冬子にとっては過去と現在との対立と重なる。例えば、食べ物とそれを提供してくれる人間と冬子との関係はどうか。鳥取に到着した時に母がハンバーグ弁当やひなあられなど、「二、三十年前……もっとずっと若かったころに」「好き[だった]ものばかり」(一八頁)を冬子に渡すことと、無事東京に帰還した時、東京でずっと冬子の最大のケア提供者であった「能の友人」が、きのこ煮麺やナッツの蜂蜜漬など、「いまのわたしが好きな食べ物ばかり」(一一五頁)を自宅のテーブルに用意してくれていることとの対立で、田舎と過去、都会と現在は重ね合わされる。だが、女性を軽く見る家父長制という意味では、この過去は本当に過去なのか、それがこの小説の提示する大きな疑問でもある。冬子自身がかつて離脱した、家父長制と女性差別に支配された田舎と、リベラルな価値観が常識である東京。気をつけなければならないが、それは「東京」のすべてではない。これは、ある種のメディアに媒介された、ある種の東京社会なのである。

夜七時、東京の友人たちと約束していたオンライン新年会にアクセスする。ホテルのベッドにiPadをおき、ZoomでＨＩＳのオンラインのケニア・サバンナツアーに参加。Zoomの音声はオフラインにし、iPhoneでClubhouseにつないで友人たちと音声でおしゃべりする、という会だ。昼間買ったケーキの残りを食べながら、遥か遠くのアフリカのサイやシマウマをみつめる。文明の利器で世界はずいぶん近くなったなぁと思う。東京も、そしてケニアも、まるですぐそこにあるみたい……。（二六―二七頁）

ウィリアムズの産業労働者たちのメディアを介したコミュニティと、この新たなメディアが可能にするコミュニティのあいだには、共通性もありつつ、決定的な差異もある。ZoomやClubhouseといった、インターネットが可能にし、コロナ状況が加速させたメディアとそれが与える社会。冬子はそのような社会を、田舎の、いまだに「ショートメール」が利用され、全国紙の内容をみなが信じる社会との対照において自由な社会として享受する。だが例えばおそらく、コロナ禍における「エッセンシャルワーカー」としてのUber Eats配達員——これまたインターネットが可能にしたUber Eatsに、東京の冬子は度々世話になる——には、かなり違う「社会」が見えているだろう……。ちょうど芥川賞を受賞した砂川文次『ブラックボックス』（二〇二二年）の描く東京も、また東京社会の実相のひとつではないか？　これについては次節で述べる。

『少女を埋める』では冬子は、この田舎と都会の対立を比較的に衒いもなく受け容れているように見える。例えば「自分の所属するコミュニティーが共有する明快なあの正しさ」を懐かしがり、鳥取のコミュニティは「複雑すぎる」と述べるときに（七三頁）。

だが、単行本の『少女を埋める』に収録された、「少女を埋める」の続編の『キメラ』においては、この二項対立はそれ自体複雑化し、冬子を飲み込んでいく。『朝日新聞』に掲載されたC氏による『少女を埋める』の書評におけるあらすじの間違いによって引きおこされる、鳥取に暮らす母への風評被害を止めるための奮闘を描く『キメラ』は、メディア小説のさらなる深みへとはまり込んでいく。一方では、『少女を埋める』で提示された田舎と都会の対立は、全国紙が鳥取で持ちうる影響力と、文芸誌やTwitterといったメディアがそこでは持ちえない影響力という形で強化・深化される。その一方で、Twitterが、「明快なあの正しさ」が共有されるコミュニティたりうるかといえば、そんなことはない。そこもまた、冬子には想像するしかない純文学のサロンのコミュニティと、冬子の主張を肯定する人びととのあいだの対立の空間でしかないのだから。

故郷喪失者と放浪者

冬子の抱える問題は、ウィリアムズが『文化と社会』（一九五八年）のジョージ・オーウェル論で述べている、「故郷喪失者（exiles）」と「放浪者（vagrants）」との差異で説明することができる。近代の経験が常なる故郷喪失の経験であるとして（オーウェルはイングランドの中流階級という「故郷」を失うのだが）、それに対する態度の違いを、ウィリアムズはこの二つの言葉で表現した。簡単に言えば、故郷喪失者は帰るための別のコミュニティを、故郷を作り出そうとする。放浪者はそれをしない。もしくはしないで済む。オーウェルはマルクス主義に新たな故郷を見いだそうとして挫折した、というのがウィリアムズの見立てだ。それに対し、先の引用における鉄道労働者たちは資本家が所有する労働手段である電信を利用して新たなコミュニティ＝故郷を作りだしているといえる。

では、冬子の経験を、そのような故郷喪失者――もしくは放浪者――の経験と見ることはできるだろうか。冬子は、東京の友人コミュニティとの、新たなメディアを介したつながりの中に、故郷を作りだそうとする。だが問題は、そのコミュニティの「明快なあの正しさ」もしくは「正論」がどうやら届かない向こう側が存在することである。その向こう側自体、冬子が拠って立つメディアが生み出しているともいえる。冬子が時に、田舎の共同体の引力に負けそうになったり、C氏の人となりを想像したいという欲望にかられたりするとき、そのような向こう側の存在、そのような分断が何かしら超克されるべきものとして冬子には捉えられている。

だが、そのような分断を超克する責任が冬子にあるわけではない。それどころか、冬子はそこから身を守ることで精一杯である。Uber Eats の配達員について示唆したように、冬子が東京で、鳥取の家父長制から必死の思いで身を引き剥がして手に入れたコミュニティとライフスタイルが、また別の分断——コロナ禍におけるエッセンシャルワーカーとリモートワーカーたちの分断——に依存しているものであっても、それは冬子のせいではない。自由を得たいという彼女の願望と努力は、誰にも否定できない。

だがそれでいいのだろうか？　この作品が描く、田舎と都会の分断、場所に縛られた者たちと、新たなメディアによって可動性を手に入れた者たちとのあいだの分断——それは、本書の序文で述べたように、トランプやブレグジットの現在を考える際には決定的に重要な分断だが——は、解決されなくていいのか？　田舎の人びとは新聞の左側まで読み進めることができない人びとのままでいいのか？　また、Twitter 的なものが生み出す、新しい「やつらとわれわれ」の幻影的な分断は解決されなくていいのか？

第三の場所と私小説の解放

よくはない、というのがこの小説の底にある叫びであるように思える。『少女を埋める』の最後の叫び（「共同体は個人の幸福のために！」）は、個人主義宣言ではない。個人の幸福を圧殺しない共同体についての叫びであり、それは故郷喪失者が、自らを歪めることなく属することのできる共同体を希求する叫び声である。

メディアとコミュニティをめぐるこの小説は、文芸誌、純文学、全国紙、週刊誌、Twitter、ショートメール、ＬＩＮＥ、Zoomといったメディアを経巡り、故郷喪失者の帰る場所を探求し、それに必然的に失敗する。いずれのメディアにも故郷を見いだすことができなかった末にたどり着くように見えるのは、なんと、ラジオというメディアだ。『キメラ』の終盤において、行きつけの喫茶店で冬子の耳に入ってくるのは東京ＦＭから流れるＳＭＡＰである（二二五―二二六頁）。ラジオから流れる九〇年代ソングは作品を通して何度かくり返されるが、それに積極的な意味づけがなされることはない。他の場面では、「能の友人」との食事中に、ＢＧＭの九〇年代ソングを聴いて歌おうとしながらどうやら冬子がいきなり泣き始める（それは、母から人づてに伝えられたメッセージが解読不能である、という場面でいきなり挿入される（二〇〇―二〇三頁））。

ここで作者は、「一番大事なことを書かない」という例の手法を使っているのだろうか。私たちは、冬子自身の忠告に従って、「わからないことは、むりに想像で繋げず［…］わからない状態のままおいて」おくべきであり、冬子がたどりつけなかったユートピア的メディア空間をラジオに見いだそうなどという読解は、自重すべきだろうか（二〇三―二〇四頁）。いずれにせよ、単行本で書き下ろされた「夏の終わり」では、この第三の場所ともいうべきラジオが流れる喫茶店は閉店するかもしれないと示唆される。第三の場所もまた、はかなく失われる運命にあるのだ。

いや、書き下ろされた「夏の終わり」では、小説というメディアに最後の賭けが行われている。冬子が電車に乗っていき、「わたし」だけがそこから降りる瞬間に起きていることは、私小説の「私」が「あなた」へと変容することである。小説は――少なくともこの作品は――「あなたの声をわたしたちがみんなで聞くために」ある（二五九頁）。ここにおいて、私小説の「私」は「あなた」となり、その聞き手は「わたしたち」となる。ここに私は、ジュディス・バトラーの「私とは、私のあなたに対する関係である」[3]という洞察の響きを聞き取る。身勝手で抑圧的な解釈で経験を枠の中にはめて理解するのではなく、「私」の経験を「あなた」の経験としてさえぎらずに語り、同時に聴くこと。この「語り＝聴く」こととは、能動態でも受動態でもない、中動態的なものだろう。ここにおいて、小説と批評との間に区別はなくなるだろう。これこそが、私が嗅ぎつけた共通性＝共有性の核心だったかもしれない。

さらには、そのような小説＝批評に賭けられているのは、個人の寿命を超えた、世代を超えた社会の成長である。自分から分裂した冬子の言葉を考える「わたし」は、テクストの真実は当事者すべての寿命が尽きたあとに明らかになるかもしれないと考える（二五七頁）。それは「夢があること」だと。

私たちはここに、桜庭一樹が『赤朽葉家の伝説』（二〇〇六年）で行ったことを重ねるべきだろう。この小説は、鳥取の共同体に生まれた異能者の三代記であり、『少女を埋める』で語られる伝説の中でなら人柱として埋められたであろう、共同体からはみ出した少女たちの物語である。現代の瞳子は異能者ではないと指摘されるかもしれないが、彼女は作品そのものの語り手でもあり、物語作者という異能者である。なおかつ、「信頼できない語り手」としての万葉の物語の秘密を暴く、異能者としての批評家でもある。この三代記に賭けられた願望とはまさに世代を超えた社会の成長だろう。成長とはいっても、経済成長などと言うときのそれとは異質な何かである。いつか、少女たちが埋められることも、出ていくことも必要がなくなるであろう未来への成長だ。それは、彼女たちの異能が異能ではなくふつうのものになるような未来だ。そのように変化し成長する共同体として鳥取を想像し直すこと。

本論で依拠したレイモンド・ウィリアムズは、一九八八年に急死したときに『ブラック・マウンテンズの人びと』という、彼の故郷の地域で暮らした人びとの二万五〇〇〇年にわたる生を、社会の粘り強い成長を物語る小説を執筆中であった（第二巻まで死後出版）。『赤朽葉家の伝説』と『ブラック・マウンテンズの人びと』はいずれも、日本とイギリスの西部の、近代を支える産業をかつては担った、ポストインダストリアルな地域を舞台としている。瞳子が一時期コールセンターで働くことは、それがポストインダストリアルな地方都市に置かれがちな職業であることを考えると（ウェールズのポスト炭鉱都市にもコールセンターやアマゾンの倉庫といった風景が展開されている）、慧眼だといえる。「地方」の歴史をこのように位置づけることによって、「田舎と都会」の社会のイメージは、その真の変容の現実との交渉（「討論」）に入ることになるのだ。

そして、この二つの作品は――そして『少女を埋める』も――そこに物語作者の目を持ちこむ。『赤朽葉家の伝説』における万葉の千里眼・未来視と、『ブラック・マウンテンズの人びと』においてウェールズの古代人たちが持つ、遠い未来を見る「盲目視（ブラインド・ルック）」は、物語作者という、時間を見わたす異能者の目である。私たちの今の生の意味を、私たちの人生が社会の成長にいかなる貢献をなしたのかを理解するには、気の遠くなるような長さの時間を見る不可能な目を必要とする。『少女を埋める』の「わたし」が到達した小説家＝批評家の目はそのような目であろう。その目を持ったとき、確かに「死はもう恐れるものではなくなる」のだ。

注

（1）Raymond Williams, "The Social Significance of 1926." *Resources of Hope*, Verso, 1989. p. 106.

（2）Raymond Williams, *The Long Revolution*, Parthian, 2011. p. 127.

（3）Judith Butler, *Giving an Account of Oneself*, Fordham UP, 2005. p. 81.

第7章　友だちの場所
――ヴァージニア・ウルフ、村上春樹、エミール・ハンフリーズ

一九五〇年代のポスト・ビルドゥングスロマンと社会のイメージ

本論では三編の小説を比較したい。まずは日本ではほとんど知られていないウェールズの作家エミール・ハンフリーズ（一九一九―二〇二〇年）の一九五八年の小説『おもちゃの叙事詩』（この小説の題名 *A Toy Epic* は、『つまらない叙事詩』とでも訳すべきかもしれないが、ここでは toy と epic という単語がつなげられることの異化効果を表現するために直訳する）。これは翻訳もない小説なので、追って詳しく説明する。この小説と比較したいのは、イギリスのモダニズム作家ヴァージニア・ウルフの主著のひとつである『波』（一九三一年）、そして現代日本に跳躍し、村上春樹の『色彩を持たない多崎つくると、彼の巡礼の年』（二〇一三年）である。

この三編を比較するのは、まずはこれらの小説が表層的に同じモチーフを描いているからだ。つ

まり、これらの小説はいずれも「友情」と「成長」を主題としている。いかにも素朴なテーマに聞こえるだろう。だが、本論で示していきたいのは、この友情と成長のテーマがそれぞれの小説の地理的想像力、もしくは地政学と絡まりあってくるという、より深層にある類似性と差異である。その点に到達するには、まずは「成長」のテーマについての考えを深めておく必要がある。成長の物語は、ウェールズ出身のイギリスの著述家レイモンド・ウィリアムズの『長い革命』の言葉を借りれば、「社会のイメージ」と深く結びついている。

私はこれまで散々依拠してきたが、[1] 人間の成長の理念と私たちの社会の変化との関係についての深い洞察を与えてくれたのは、そのウィリアムズであった。ウィリアムズは、ジョージ・エリオットの小説にその変化の分水嶺を見いだしている。

ジョージ・エリオットの小説は、社会的・経済的な解決と個人の達成が単一の次元に属するような、一連の落着で終わるような形式と、その次元を拡張・複雑化し、最終的にそれを崩壊させて、一人の人間が距離を取って脱出することを通じて道徳的な成長をなし遂げ、単独で身を引き離すことで終わるような形式とのあいだの移行期にある。[2]

ジョージ・エリオット以前の形式、つまり社会・経済と個人の成長が切り離せない形式として、ウィリアムズは「遺産プロット」を挙げている。遺産プロットとは、小説の主人公が最終的に成長をなし遂げるようなビルドゥングスロマン（教養小説）において、主人公の個人的・精神的な成長で物語がじつは解決しておらず、隠された遺産の存在の露見によって、主人公が階級上昇をしている、もしくは本来の階級を回復しているような物語のことである。ディケンズの『大いなる遺産』であるとか、シャーロット・ブロンテの『ジェイン・エア』のような一九世紀小説に頻出するパターンだ。

この形式について重要なのは、それが現代の私たちが想定するような人間の「成長」とはかなり違う前提を持っていることだ。そこでは個人の精神的成長と経済的な階級上昇が判別不可能である（じつはもう一周して現代の成長においては経済的な達成こそが重要な要素になっているという見方もできるが、それはまた別の話とする）。

そして、その現代の私たちにとっての「成長」の観念を作りだしたのが、ウィリアムズの言うジョージ・エリオット以降の形式である。ここでウィリアムズは「身を引き離す」と言っているが、何から身を引き離すのかといえば、それは自分の所属する階級もしくはコミュニティからということになるだろう。家族であれ、地域であれ、階級であれ、自分が生まれ落ちたコミュニティから離れていくこと。この方が私たちの想定する人間の「成長」に近いのではないか。

ウィリアムズは『ニュー・レフト・レビュー』誌との長尺のインタビューにおいて、このエリオット以降の形式のゆくえを述べている。

多くの作家たちがすぐに向かって行った五〇年代の新たな形式とは、ふつうは逃避の小説のさまざまな形式なのであり、それはロレンスのある部分が準備したものです。そういった小説のテーマは実際には労働者階級からの逃避でした——階上の部屋への移動や、逃避の経験ですね。そういった小説には労働者階級の生活の連続性の感覚はありませんでした。というのも、一人の個人がそこから抜け出したところでその生活が終わるわけではなく、それにしてもそれは内的には変化もしているものなのです。[3]

ここでウィリアムズの念頭にある五〇年代の新たな形式とは、例えばアラン・シリトーの『土曜の夜と日曜の朝』（一九五八年）のような小説だろう。シリトーといえば、いわゆる「怒れる若者たち」の一人に数えられる作家である。「怒れる若者たち」は、イギリス労働者階級の若者たちの生活や内面を文学の主題としていった一群の作家たちであるが、じつは本当に労働者階級出身と言えるのはシリトーくらいであった。実際、そのシリトーの作品もそうなのであるが、「怒れる若者たち」は安定的な労働者階級の生活を描くものではない。むしろ、「すでに失われつつあった労働者階級の生活」を描いたのが怒れる若者たちだと言った方がいいだろう。

『土曜の夜と日曜の朝』の主人公アーサーは、自転車の部品工場で働く若者である。彼は確かに「怒って」いる。だが、その怒りは労働者階級として資本家に向けられた怒り、といったものではない。いや、確かにそのような怒りも彼は抱いているのだが、その怒りは一貫性のあるものではない。

おれから所得税を取りたてる鼻すすりの薄のろ、家賃をまきあげるやぶ睨みの豚野郎、それに、しょっちゅううるさいことをいうあの頭でっかちもだ。組合集会に出ろとか、ケニヤで起こっていることへの抗議文に署名しろとか。なんの関係があるってんだ！[4]

彼は、税を取る国家、家賃を取る家主（小規模の資本家）だけではなく、組合にも、そして「ケニヤで起こっていること」つまりマウマウ団への弾圧に反対する社会主義者にも怒りを向ける。ここには政治的な保守派と急進派という区別は存在せず、アーサーをとりまく福祉国家の状況を生み出すもの（労働党もその一部）への憤懣（ふんまん）が、アーサーを「理由なき反抗」へと駆り立てる。彼は同僚ジャックの妻ブレンダと不倫するのだが、それも福祉国家を成立させる最小単位たる（核）家族への抵抗と見ることもできよう。

小説の結末において、アーサーは結局小市民的な結婚をして、当時労働者階級が享受しつつあった物質的繁栄の生活に（形だけ反抗の意思は示しつつも）流されていくことが示唆される。アーサーにはそもそも所属すべき労働者階級のコミュニティはなく、イギリスが繁栄した福祉国家に向かって行くなかで、ウィリアムズの言うような「労働者階級の生活の連続性の感覚」は彼には無縁のものである。ジョージ・エリオット以降、例えばトマス・ハーディの『日陰者ジュード』やD・H・ロレンスの『息子と恋人』のような階級上昇小説（上昇に失敗する場合もあるが）を経て、シリトーはそもそもの所属先としての労働者階級コミュニティの解体を描く。

私はここで、ウィリアムズの言うエリオット以降の小説に、「ポスト・ビルドゥングスロマン」という名前を与えたい。エリオット以前の小説は、いわゆるビルドゥングスロマンであるが、ウィリアムズはここでビルドゥングスロマンの意味を大きく変えているといえる。それは単なる精神的な成長の問題ではなく、経済的＝階級的な所属の発見であった。それに対して、ウィリアムズも名前を出しているロレンスや、ここで触れたシリトーの主人公たちは、所属先を失って浮遊する存在になっていく。「身を引き離す」ことが物語の結末となっている。そのような意味でこそ、それらの小説はポスト・ビルドゥングスロマンと呼べる。

ウィリアムズは、そのような呼び方はしないものの、一九五〇年代のポスト・ビルドゥングスロマンを問題視した。そこでウィリアムズが問題にしたのは、個人が階級コミュニティから「身を引き離す」ような形式が支配的になりつつあるが、そこには「労働者階級の生活の連続性」（ここまで述べたように、それは変化しないことというよりも変化の中にある連続性）の感覚がないことであった。ポスト・ビルドゥングスロマンが前提としつつ表現する「社会のイメージ」は、五〇年代に勃興していた福祉国家の社会のイメージなのであるが、それは個人がコミュニティから分離し、メリトクラシー（社会学者のマイケル・ヤングがその著作でこの言葉を生み出したのは一九五八年である）[5]の中で上昇したり没落したりするような社会である。それは解放性も持っているであろうが、疎外の苦しみももたらすものであったし、現代の私たちから見れば、現代的な新自由主義社会がすでにこの頃から準備されていたことが見て取れるだろう。そう、新自由主義といえばそれに先行する福祉国家との断絶において語られることが多いが、むしろ見るべきは連続性なのである。

さて、少々勇み足が過ぎたが、ウィリアムズのそのような問題意識を理解するには、ウィリアムズ自身による小説を見るにしくはない。ここで言っているのは、一九六〇年に出版された『ボーダー・カントリー』（『辺境』のタイトルで翻訳されているが絶版）である。[6]この小説は、ウェールズの労働者階級出身で現在（一九五〇年代）はロンドンで大学講師をしている主人公マシューの視点で語られる。物語は五〇年代の現在時において、マシューが父危篤の報を受けて帰郷し、結局父は亡くなって葬式をあげるまでが物語られつつ、一九二〇年代のゼネラル・ストライキを軸として、若い時代の鉄道労働者の父の世代が物語られる。メリトクラシーにおける階級移動をなし遂げた主人公の視点から、このような二重の時間の枠組みで語られることで浮き彫りになるのは、まさに

「労働者階級の生活の（変化の）連続性」である。『土曜の夜と日曜の朝』のある種の視点の狭さが、そこでは克服されている。ウィリアムズはポスト・ビルドゥングスロマンを超える方法を、五〇年代に同時代的に探究したのだと言える。[7] それは、言い換えれば故郷喪失（エグザイル）の状態をいかにして解消するかという努力であった。主人公マシューは、精神的に「帰郷」できるわけではない。むしろ、自分の故郷喪失を理解し、故郷との「距離をはかる」ことに成功するのである。

エミール・ハンフリーズ『おもちゃの叙事詩』の「モダニズム」

さて、駆け足になったが、以上が一九五〇年代的なポスト・ビルドゥングスロマンの概観である。ここから先は、以上を背景としつつ、予告した三編の小説を論じていきたい。それらはいずれも「成長」をめぐる小説であり、同時に「友人」関係が主題となっている。そして、予告しておくと、これらの小説の重要で意義深い差異は、空間性をめぐるものである。

まずはエミール・ハンフリーズの『おもちゃの叙事詩』から。これは『土曜の夜と日曜の朝』と同じ、一九五八年出版の小説である。

エミール・ハンフリーズは、日本ではまず知られていない作家であろう。その前提で、少々詳しく紹介したい。ハンフリーズは一九一九年に北ウェールズのフリントシャーのプレスタティンに生

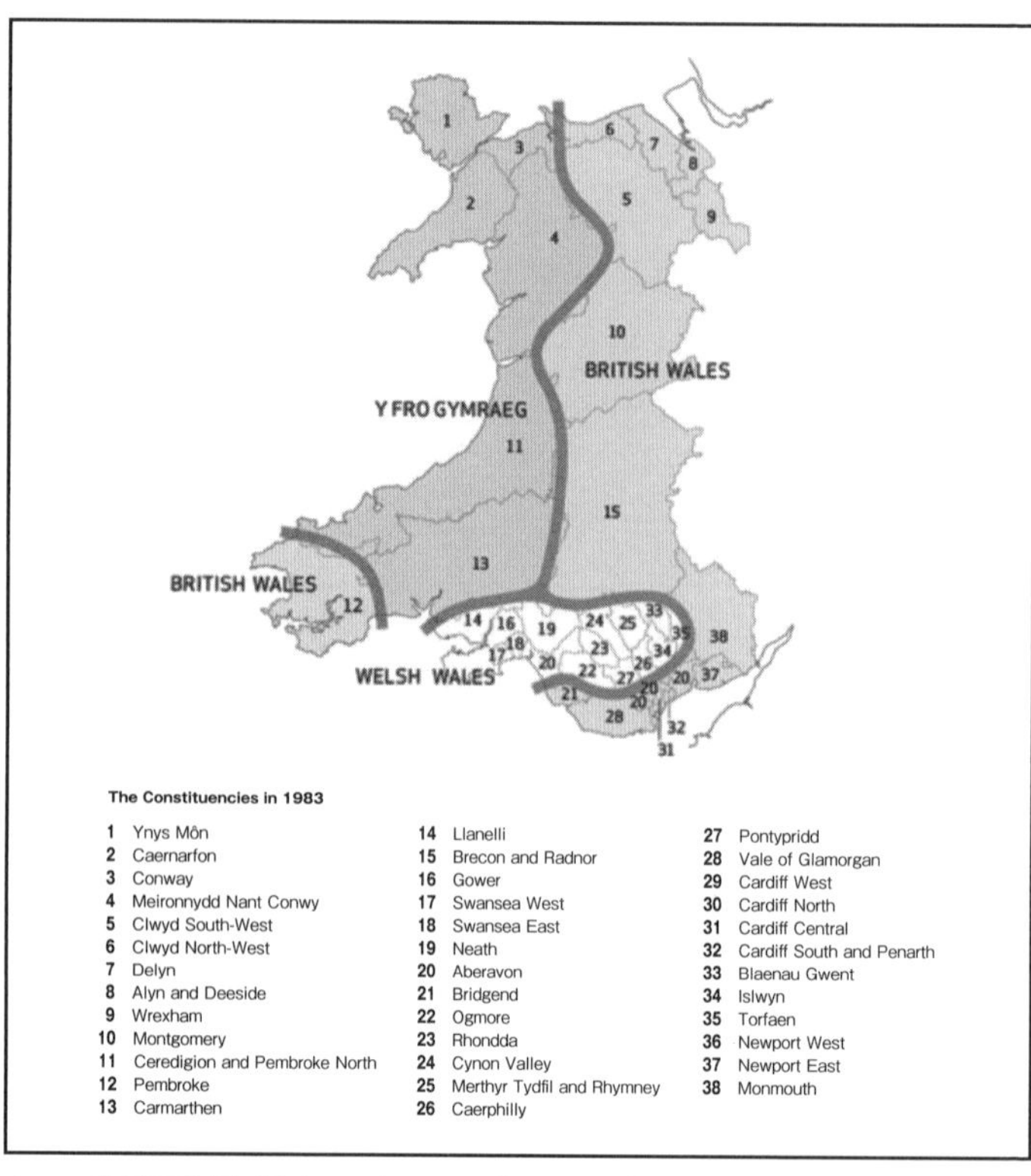

ウェールズの地図（「三つのウェールズ」モデル）
（Denis Balsom. 'The Three-Wales Model'. John Osmond (ed.) *The National Question Again* (Llandysul: Gomer, 1985) 参照）

まれた。本論では最終的に、ウェールズという国(カントリー)の細かな地理こそが非常に重要になるので、この後地図を参照しながら進めていく（図）。ハンフリーズの生まれたプレスタティンは地図の番号の6と7のあいだのあたりである。リンデン・ピーチの説明によれば、彼が生まれたのは「英語使用の国教会の環境」であった。[8]

これがどういうことなのかを説明しておく必要がある。日本ではあまり知られていないかもしれないが、ウェールズはイギリスの中でもちょっとした異境である。民族的にはさまざまに混淆(こんこう)しているものの、ウェールズでは英語だけではなくケルト系の言語ウェールズ語が公用語となっている。とりわけ一九世紀に、南ウェールズが炭鉱地帯として発展し、イギリスの資本や労働者が流入すると、ウェールズは急速に「イギリス化」した。言語的には英語が優勢となっていたということであるし、宗教的にはウェールズでは非国教会系のプロテスタントの各宗派が存在していたところに、イギリス国教会が侵入してきた。その結果生じたのが、引用した地図が表現している「三つのウェールズ」モデルである。British Wales（イギリス的ウェールズ）と書かれているのは、イギリスへの所属意識の強い地域である。言語的には英語、宗教は国教会、というわけで、先ほどのハンフリーズの生まれた地域をピーチはそのように説明していたのだ。

Y Fro Gymraeg とは一体何か。これは、ウェールズ語で「ウェールズ語地域」の意味である。カタカナにするなら「ア・ヴロ・ガムライグ」である。この地域にはウェールズ語話者が多く、ウェールズ文化が色濃く残っていて、独立意識も強い。

残るWelsh Wales（ウェールズ的ウェールズ）は、ウェールズ性という意味では以上の二つのウェールズのはざまに位置しているといえるだろうが、重要なのはこの地域が南ウェールズの炭鉱地帯であるということだ。炭鉱産業によってイギリス化が進んだという意味ではこの地域は「イギリス的ウェールズ」へと傾いていったといえるが、その一方で政治的には労働者たちとそれを束ねる労働党の力が強いという点で、イギリスとは一線を画している。

さて、そのようなウェールズの文化的地図を頭に入れてもらいつつ、ハンフリーズと『おもちゃの叙事詩』に戻りたい。ハンフリーズは地元の中等学校まで進むが、第六学年（シクスス・フォーム）といって、中等教育の最後の二年で、年齢で言うと一六〜一八歳）の時に重要な事件が起きる。それは、ウェールズのナショナリストたちによる、英国空軍学校の焼き討ちであった。空軍学校は数字の2あたりの半島（スリン半島）にあった。そもそもこの半島は、先述の「ア・ヴロ・ガムライグ」中でもその心臓のような、ウェールズ性の濃い地域である。英国空軍学校は、代々ウェールズ詩人のパトロンたちが住んでいたペニーバースという農場屋敷を取り壊して作られたものであった。ナショナリストたちはイギリスの支配の象徴を焼き討ちにしたのである。実行犯の三人のナショナリストのうちの一人は、ウェールズ党の創設者の一人で、一九七〇年にはノーベル文学賞にノミネートされた詩人・文学者のソーンダーズ・ルイス（一八九三—一九八五年）であった。このイギリス空軍の訓練基地に対する攻撃は、歴史家のジョン・デイヴィスによれば、ウェールズ・ナショナリズムの分水嶺であり、「その後のナショナリストの数世代が訴えることになる、非合法活動の伝統」を創造した。[9] 若きハンフリーズはこの事件に触れて、ウェールズ・ナショナリズムに目覚めていくのだが、『おもちゃの叙事詩』を読むにあたってはこのことが重要になる。

ハンフリーズはアベリストゥウィスのウェールズ大学で歴史を専攻し、そこでウェールズ語とウェールズ文化を学ぶ。第二次世界大戦が勃発すると、ハンフリーズは良心的徴兵拒否をする。そして良心的徴兵拒否者としてウェールズで労働に従事していた間に、『おもちゃの叙事詩』にとりかかる。結局、『おもちゃの叙事詩』は非常に多作なハンフリーズの三編目の小説となるが、着想されたのは最初であった。その後、二〇二〇年に一〇一歳で亡くなるまで、ハンフリーズは二〇以上の小説を発表した。晩年は北ウェールズのアングルシー島のスランヴァイルプールグウィンギルゴゲリッヒルンドロブールスランティシリオゴゴゴッホ（世界一長い名前の村として有名。俳優のタロン・エジャートンもここの出身である）で暮らした。

『おもちゃの叙事詩』は、先述のように実質的な処女作なのだが、多くの処女作がそうであるように、この小説には自伝的な要素が多く盛り込まれている。この小説は三人の語り手によって語られるのだが、三人は、そのうちの一人の言葉を借りれば、「ウェールズの四つの隅のうちのひとつ」で育った。[10] 先ほどから参照している地図はウェールズを三つに分けていたが、ここで「四つの隅」

というのは、北ウェールズを西と東に分けて独立の「隅」と考えているのだ。つまり非常にウェールズ性の濃い北西ウェールズに対して、イギリス化が進んだ北東ウェールズを分けて、そのうちこの小説は最後の北東ウェールズを舞台とする。小説は彼らの子供時代から、三人が中等学校を卒業して別々の道を歩むことになる瞬間までを描く。三人とは、牧師の息子のマイケル・エドワーズ、バス運転手の息子のアルビー・ジョーンズ、そして農場の息子であるイヨルワース・ヒューズである。三人はそれぞれに青年時代の困難に直面し、マイケルであればナショナリズム、アルビーの場合はマルクス主義といった思想に依拠することでその困難を部分的には克服し、部分的にはそれに失敗する。物語の大団円は、三人の歩む道が分かれていく瞬間である。三人は大学入試を受け、マイケルは優良な奨学金を得てオクスフォード大学へ、イヨルワースはそれに劣る大学に入学するが、アルビーは入試に失敗し、故郷で仕事を見つける。

最終章でこの三人は他の友人たちと一緒にマイケルの運転する自動車で遠足に出かける。この旅行で彼らは自分たちの友情関係が終わりに近づいていることを感じ取る。その後、帰り道に、マイケルの車がバスと衝突しそうになり、脱輪する。マイケルの他に怪我人は出ないが、彼は頬を深く切って出血する。そして、物語はいくぶん、不気味なほどに突然に、マイケルの次のような考えで幕を下ろす。

僕が言いたかったのは、とマイケルは言ったのだが、彼らに家に帰るように言うことだった。みんな、それぞれの道で、家に帰れる。ここが僕らの分かれ道だ。ギラギラする光の下で寝台にじっと横になって、医者が僕の頬の傷を縫うのを待っていなければならないのは僕だけだ［…］同志たちよ、僕らはもうおたがいに関係がない。それか少なくとも、君たちは僕とは関係がない。[11]

以上の要約と、この後の議論からも、この小説は一九世紀的で典型的なビルドゥングスロマンからは逸脱していると分かるだろう。だとすれば問うべきなのは、この小説はポスト・ビルドゥングスロマンなのか、ということである。離郷物語である、つまりコミュニティからの分離を描く（先の引用はその瞬間を痛々しく伝える）という意味では、確かにこの小説はポスト・ビルドゥングスロマンの要素を持っている。だが、私のテーゼは、『おもちゃの叙事詩』はある点ではポスト・ビルドゥングスロマンだが、重要な形でそこから逸脱もしている、というものである。その逸脱の重要性は、いくつかの比較を通じてこそ明確になるだろう。

最初の比較はある種避けようのない比較である。つまり、イギリスのモダニズム作家ヴァージニア・ウルフの主著のひとつ『波』（一九三一年）である。避けようがない、というのは、この二編の小説を読めば、形式と内容の両者における類似性に気づかないでいるのは不可能だからだ。両者の冒頭を比較してみよう。まずは『おもちゃの叙事詩』から。

牧師館が僕の家だ、とマイケルは言った。お母さんは、この家は大きすぎると思っていた。お父さんの聖職給は年三〇〇ポンドで、そこに、お父さんの大叔父のジョブの遺産の、遠いカーディガンシャーにある農地の賃料の年六〇ポンドという私的な収入を足すことができる。[12]

続いて、『波』は次のように始まる。

「見える、輪が」とバーナードが言った、「ぼくの頭のうえ、光の輪になってふるえ、吊りさがる輪が見えるよ」

「見える」とスーザンが言った、「むらさき色の筋と溶けあうまで広がる、あわい黄色の帯が見える」

「聞こえる」とロウダが言った、「ツツピーツツピー、ピチピチ、っていうさえずりが、高く、低く」[13]

このように、『おもちゃの叙事詩』と『波』は両者とも、「……は言った」という定型句に、その人物の一人称の「意識の流れ」が続くという形式で書かれている。『波』の場合は、各章の冒頭に置かれる自然描写部分を除いて、六人の登場人物の意識の流れだけで構成された小説になっている。このような形式上の類似性に加えて、『波』は六人の語り手の幼児時代から中年までを語り、そこには友情と同時に苦々しい別れも描かれるという内容においても類似している。そしてこの後示すように、『波』もまた典型的ビルドゥングスロマンから逸脱するものである。だとすれば、この二編の小説は「同じもの」だと言えるのだろうか？　同じ、というのはつまり、同じ歴史的条件に同じやり方で反応するものだと言えるのだろうか？

そうではないと私は考えている。そして、これら二編の小説の重大な差異を理解するためには、これらを直接に比較するのではない、ある種の回り道が必要である。その回り道は、日本の現代小説家・村上春樹の『色彩を持たない多崎つくると、彼の巡礼の年』（二〇一三年）（以下『多崎つくる』）である。

『波』、『多崎つくる』と反成長小説

『多崎つくる』の基本設定は以下の通りである。三〇代半ばの多崎つくるは、東京の鉄道駅の青写真を引く技術者、もしくは建築家である。彼は名古屋出身である。郷里で彼は、四人の友人と、

『おもちゃの叙事詩』と『波』を彷彿とさせるような緊密な友情関係を結んでいた。このコミュニティを彼は「乱れなく調和する共同体」[14]もしくは「乱れなく調和する親密な場所」[15]と呼ぶ。つくるは大学に入学して上京するが、他の四人は名古屋から出てより「良い」大学に行くことも可能であったが、名古屋に留まる。しばらくの間彼らの友情関係は続くが、突然に名古屋の友人たちはつくるを切ってしまう。彼らは、何の理由もなく、つくるとの関係を続けることはできないと告げるのだ。つくるは放り出され、死を考えるところまで行くが、なんとか生き残り、その後はいわば「色彩を持たない」人生を送っている。もちろんその後、彼の友人たちによる説明のつかない行動の謎を解くことが物語を推進していくことになる。

ここまでの情報を念頭に、次の引用を比較していただきたい。それぞれ、『多崎つくる』と『波』の結末近くからである。

おれの人生はまるで、二十歳の時点で実質的に歩みを停めてしまったみたいだ、と多崎つくるは新宿駅のベンチの上で考える。そのあとに巡ってきた日々は、重みと呼べるものをほとんど持たなかった。[16]

そう、これが永遠なる更新だ。絶え間ない上昇と下降、下降と上昇なのだ。[17]

『波』の最終章は、六人のうちの主要人物といえるバーナードによる「要約 summing up」の試みである。バーナードは作家的な人物として描かれ、この最後の「要約」の試みも、六人の人生を彼の言葉で要約しようということであるから、ある種の、小説内における小説の寓意と言える。だが重要なのは、バーナードは物語ることに失敗し続けることであり、この「要約」にも失敗の意識がつきまとう。そして、ある種の結論として出てくるのがこの引用であり、そこでは成長の終結というよりは、目的地に向かった単線的な成長が、終わることのない、引いては返す波のようなものに置きかえられている。

一方で、村上作品全般に見られる、主人公男性の奇妙な未熟さから、多崎つくるも逃れられていない。この場合、彼の成長は二十歳でその「歩みを停めて」いる。

この未熟さ、もしくは反成長はどのように捉えうるだろうか？　それは、ポスト・ビルドゥングスロマンの重要な要素なのだろうか？　イギリス文学研究者のジェド・エスティは、『時ならぬ若者時代――モダニズム、植民地主義、そして成長の小説(フィクション)』で、ここで示される「終わりなき若者時代」の肖像を読解する視点を提示している。エスティは次のように述べている。

若者時代を凍結し、様式化することは、永続革命としての近代の小説を書くことにほかならない。それは、グローバリゼーションの開かれたメタナラティヴをあらたな形で象徴的に正当化する――言い換えるとそれは、ヨーロッパ的な国民国家の形成を歴史の目的地として書きとる装置としての国民（ナショナル）のアレゴリーがますます時代遅れのものになっていることを宣言するのだ。魂＝国民（ネーション）のアレゴリーという道徳化を行う時間性がない状態では、ビルドゥングスロマンは終わりなき若者時代という比喩形象へと圧縮された近代の未完のプロジェクトの物語となる。[18]

エスティにとって旧来のビルドゥングスロマンとは「魂＝国民のアレゴリー」である。つまり、前半でウィリアムズが述べていた「社会」が、「国民（ネーション）」と等号で結ばれるのである。ネーションの全体性が成長の完成を保証してくれるのだ。ところが、グローバリゼーションの時代、つまり国民国家の解体の時代においては、そのような成長の「目的地」が失われてしまう。そこで出てくるのが「終わりなき若者時代」の表象だとエスティは論じる。ちなみにエスティはその分水嶺を一八八四年から一八八五年のベルリン会議に見ているが、それはウィリアムズが分水嶺と見たジョージ・エリオットの少し後であり、その符合も興味深い。前半に私がウィリアムズから析出したポスト・ビルドゥングスロマンという考え方に照らし合わせるなら、エスティ的なポスト・ビルドゥングスロマンは国民国家に所属する主体という終着点を失い、成長を止めてしまった主体性の物語ということになるだろう。

さて、このエスティの議論は、今ここで扱っている二編の小説において成長がいかにして「地理化」されているかを考えることで言い換えることができるだろう。まずは『波』において、六人の成長の挫折をめぐる重要な「場所」は、インドである。『波』は六人の語り手を持つ小説だと述べたが、その六人以外に一人の重要人物がいる。その名はパーシヴァル。パーシヴァルは学校時代の六人の同級生で、カリスマ的な人物であり、小説の六人の友人たちのコミュニティの不在の中心のような役割を持っている。そのコミュニティは「コミュニオン」[19]と呼ばれ、「六面体の花」[20]という比喩で語られるコミュニティであるのだが、その不在の中心としてのパーシヴァルは本当に不在になってしまう。彼はインドに行き、そこで落馬して死んでしまうのだ。パーシヴァルがインドで何をしていたのかは定かではない。だが、その「定かでなさ」こそが重要である。インドは全編を通して、外側、向こう側として想像される。パーシヴァルがインドに行くことは、彼らの友情の終わりを示しつつ、認識を逃れる「向こう側」への想像を喚起する。

「パーシヴァルは行ってしまう」とネヴィル。「ぼくらはここで取り囲まれ、照らされ、さまざまな色彩で座っている。すべてのものが――手、カーテン、ナイフとフォーク、ほかのディナー客たちが――ひしめき合う。ぼくらはここに囲いこまれている。けれど、インドはその外側にあるのだ[21]」

〔ロウダ〕「……インドが、わたしたちの視界の果てに現れる。ずっと縮んでいた世界が、円く膨らんでくる」[22]

その一方でバーナードは確かに、インドをより「リアリスティック」に想像しようとするように見える。だがそこでの想像は、どこまでも帝国主義的で凡庸なものである。バーナードの想像の中で、パーシヴァルは、轍（わだち）にはまった荷車をどうにかかする能力のない「愚かな」インド群衆に対し、介入する。

そこへ見よ、パーシヴァルが進み出る。芦毛の牝馬にまたがり、サンヘルメットをかぶってる。そして西洋ではごく当たり前のやり方で、彼はごく自然な乱暴な言葉遣いで、荷車は五分もせぬうちにもち上げられる。東洋の難題は解決された。彼は馬を乗り進め、群衆は彼を取り囲む。あたかも彼が――いや彼はほんとうにそうなのだが――神であるかのごとく[23]

インドといえばこの時代、ガンディーと国民会議などによる独立運動の気運が盛り上がっていた。それを背景に『波』におけるインドをどう読むかは、かなり微妙な問題である。一方では、『波』

は、最終的にパーシヴァルに与えられる価値を考えれば、イギリスによるインド支配を肯定的に見ている（少なくとも否定していない）ようにも見える。ただし、作品そのものの語り手（というのは、六人のことではなく、六人の語りを書くさらなる上位の「含意された著者（implied author）」）と語られる内容とのアイロニカルな距離というものも、確かに感じられるのだ。先に引用した、インドを「向こう側」としてロマン化するまなざしも、バーナードによる凡庸な想像も、距離をもって対象化されているように読める。

これらのインドに対する認識は、レイモンド・ウィリアムズが「メトロポリス的知覚」と述べたものの一部と考えるべきだろう。もしくはフレドリック・ジェイムソンが「モダニズムと帝国主義」で論じる意味での「モダニズム」である。[24] ここではその議論を簡便に要約しておくが、ウィリアムズとジェイムソンが論じているのは、二〇世紀前半のモダニズムの背景には帝国主義があったということである。帝国主義の宗主国内部（つまりイギリスの国内）での経験を描いているように見える文学には、ある種の表象の挫折、限界点が存在する。その挫折と限界が指し示しているのは、宗主国のメトロポリスの生活を支えてはいるけれども意識化されることはない植民地の存在なのである。例えばジェイムソンはE・M・フォースターの『ハワーズ・エンド』に登場する「果てしのなさ（eternity）」という奇妙な象徴、というより言葉に注目する。非常にナショナルでドメスティックに見えるこの小説がイングランドの地図を想像する時、そしてその想像が挫折する時、この表象不可能な「果てしのなさ」が奇妙な形で登場する。ジェイムソンによればそれはナショナルな空間が自足できず、帝国と植民地の搾取にいわば依存していることの症候なのである。

先に触れたジェド・エスティの別の著作『縮小する島——イングランドにおけるモダニズムと国民文化』は、そのようなメトロポリス的知覚／モダニズムが、一九三〇年代には不調に陥ったと論じている。[25] それはもちろん、先に述べたインドの独立運動を代表とする脱植民地化の流れと帝国の解体・縮小によるものだ。エスティによれば、その解決として生じたのが「小英国主義」であり、イングランド国内の国民文化（ナショナル・カルチャー）への注目である。エスティはジョージ・オーウェルから戦後カルチュラル・スタディーズに至る労働者階級文化への注目をその潮流の一部と考えている。つまり、労働者階級文化とは、階級文化であるというよりは「イングランド的文化」だということだ。本論はその包括的な議論に対する反論でもある。つまり、エスティの議論は、階級の差異を抹消する議論であると同時に、地理的な点においては、本論の後半で論じる通り、「内的な差異（internal difference）」を無視する議論になっているのだ。だが、当面はエスティのテーゼを受け容れて議論を進めたい。

さて、『波』であるが、この作品のインドにはそのような事情のすべてが込められていると考えるべきだろう。すべてというのはつまり、まず、一九三一年に出版されたこの作品におけるインドは、盛期（せいき）帝国主義の「メトロポリス的知覚／モダニズム」の残滓である。先に引用したバーナードの帝国主義的な想像と、それに対するネヴィルとロウダの、インドを表象不可能な「向こう側」として見る認識はそれを物語る。そして『波』は同時に、そのような認識枠組みが、帝国主義と同時に終焉したことも語っている。パーシヴァルの死がその核にある。しかし、『波』の六人には、エスティが述べるようなナショナルなもの——成長の終着点としてのネーション——は与えられていない。それが彼らそれぞれの苦しみの源になっており、バーナードは先に引用したように、（終着点としての国民文化ではなく）「永久の更新」のヴィジョンをもってそのジレンマを解決しようとする。『波』がポスト・ビルドゥングスロマンであるというのは、そのような意味においてなのである。

『多崎つくる』、『三四郎』的近代の終わりと東京、そしてリアリズムの挫折

さて、『多崎つくる』において、『波』のインドのような位置にある「場所」は、東京ということになる。つくるの名古屋から東京への地理的移動は、表面的には非常に近代的な、地理的移動が階級移動と重なりつつ（いずれも英語で言えばmobilisationということであるが）成長となるような構図をなぞっているように見える。そのような、「中心」に向けた地理的移動と成長との重なり合いのひな型は、夏目漱石の『三四郎』（一九〇九年刊行）ということになるだろう。『三四郎』冒頭の、

鉄道による九州から東京への移動は、東京帝国大学に向かう三四郎の「教養の中心」への移動でありつつ、その途中で目撃する「美しい」西洋人の姿はその東京のさらに向こうにはさらなる中心としての「西洋」が存在することを示唆するし、途中の名古屋における性的経験の挫折は三四郎の成熟（の失敗）をも示唆している。そう、いま私は『三四郎』を地理的移動と成長が重なる典型例として挙げているが、「stray sheep」というリフレインで幕を閉じるこの小説の三四郎は、まさに成長に失敗し、永続する若者時代を生きているようにも見える。おそらく、『三四郎』そのものにも、『波』に見いだされたような「メトロポリス的知覚」とその崩壊の瞬間を、日本独特の文脈において見いだすことができるはずだ。

それはともかく、『多崎つくる』もまたそのような近代の物語から逸脱する。つくるにとって、名古屋からはすでに疎外されていることはもちろん、東京は目的地たり得ないのだ。

> 東京にいるあいだ彼は、一刻も早く故郷の街に戻り、またしばしのあいだ友人たちと顔を合わせていたいと渇望した。そこが彼の帰るべき場所だった。そのように二つの異なった場所を行き来する生活が、一年と少し続けられた。しかしある時点でサイクルは唐突に断ち切られた。
> そのあとの彼には、向かうべき場所も帰るべき場所もなくなってしまった。［…］名古屋の街も妙によそよそしく、味気なく感じられた。つくるが求めているものは、あるいは懐かしい

と思うものは、そこにはもう何ひとつ見いだせなかった。

その一方、東京は彼にとってたまたま与えられた場所だった。かつては学校のある場所だったし、今では職場のある場所だった。彼は機能的にそこに属していた。それ以上の意味はない。［…］彼はいわば自らの人生からの亡命者としてそこに生きていた。そして東京という大都市は、そのように匿名的に生きたいと望む人々にとっては理想的な居場所だった。[26]

東京は成長の目的地としてのネーションの中心ではない。そうではなくそれはグローバルな非－場所であり、匿名性が支配している場所だ。それゆえに、成長を止めた「人生からの亡命者」にとっては理想的な場所なのである。

『三四郎』や『波』には、ジェド・エスティが「時ならぬ若者時代」もしくは「永続する若者時代」の像に見いだしていた歴史的背景が色濃く刻印されている。つまり、グローバリゼーションの初期段階としての帝国主義と、成長の目的地としてのネーションの崩壊、そしてもう一方における帝国植民地への想像の不可能性である。その不可能性が、メトロポリス的知覚であり、モダニズムなのである。それと比較したときに、『多崎つくる』はそれらの作品の延長線上にありつつ、さらに進んだ段階にあるものと感じられる。場所という意味では、多崎つくるの「巡礼」は彼を東京からフィンランドまで連れて行く。しかし、フィンランドという場所は、近代的な「向こう側」ではない。つまり、ジェイムソンの言うモダニズム的な植民地、つまり『波』のインドでもなければ、『三四郎』の西洋でもない。どこまでも空虚な場所である（つくるが、『波』や『三四郎』とは違って、あっさりとフィンランドに行っていることもここでは重要である。フィンランドに未知で表象不可能な要素はないのだ）。そのような意味でこそ、村上の小説は「ポストモダン」である。

三浦玲一が『村上春樹とポストモダン・ジャパン』で、『多崎つくる』における「リアリズムの排除」について語る時に賭けられているのはそのような意味だ[27]。三浦の場合はアメリカ文学におけるリアリズムの歴史的な排除（それは二〇年代を中心とするモダニズム文学の時代に起こったのではなく、戦後冷戦リベラリズムを背景とした批評と研究によって遅れてくる形で行われた）という本論とは異質な文脈があるものの、とりわけ労働を含めた社会の全体性を表象するというリアリズムの使命が、『多崎つくる』においては追求されつつも結局は排除されているという三浦の議論に本論は賛成するものである。

リアリズムという問題については、『多崎つくる』が『波』の「要約」の節を反復していることは、重要でありかつ必然性がある。『波』の最終章では、バーナードがそこまでの物語を「要約」しようとするのだが、それに失敗して先に引用した結論、つまりそのような要約は不可能であり、私たちにできることは目的地も終着点もなく、際限なく生き続けることだけだという結論に達する。興味深いことに、『多崎つくる』にもつくるによる最後の独白的物語が付加されているが、それは必要な出来事がすべて終わった後に行われる、ある種過剰なつけ足しである。このように「要約」が必要であることは、まさにリアリズムの挫折の症候であり、全体性を表象し、提示することの失敗の兆候である。ではその全体性とは何なのだろうか？『波』と『多崎つくる』は何を表象できないでいるのか？これらの小説の限界とは一体何なのか？ここまで来てようやく、私たちは『おもちゃの叙事詩』をこれらの小説と比べる準備が整ったのである。

『おもちゃの叙事詩』における内的差異とリアリズム

まず、確かに、『おもちゃの叙事詩』はこの二つの小説と「永続する若者時代」を共有している。ウェールズ文学研究者のＭ・ウィン・トマスは『おもちゃの叙事詩』のあとがきで次のように述べている。

> 『おもちゃの叙事詩』が含意しているのは、この三人の少年たちは全員、麻痺してしまった感情的な成長と、足を取られてしまった成熟のために、最終的には完成することのない人格に帰着しているということだ。[28]

だとすれば、この小説はここまで論じた二編の小説と同じ歴史的条件を共有しているということになるのだろうか？　ここで私たちは、成長がいかにして地理化されているかを改めて見なければならない。表面上は、『おもちゃの叙事詩』は『多崎つくる』が実現できなかった、二重の移動性の物語であるように見える。二重の移動性とは、地理的移動と階級移動——つまりメリトクラシーの梯子(はしご)を上昇すること——の二重性のことであり、『おもちゃの叙事時』はイングランドをその中心にして目的地とする二重の移動性を実現しているように見える。というのは、マイケルとアルビーの家族は明らかに、息子たちに階級上昇をもたらしたがっているし、新たなメリトクラシー社会におけるそのような野心は、農場の息子であるイヨルワースにもっとも鮮烈に表現されている。

「大きくなったら何になりたい、イヨルワース？」
ぼくはそれがなんと美しい質問だろうと思う。選択。ぼくは職業を、キャリアを、クリスマスや誕生日のきれいなチョコレート箱からチョコレートをひとつ選ぶみたいに、選べるんだ。(29)

だがこのような社会＝地理学的想像力はやはり挫折してしまう。その挫折は、最後の自動車旅行と、彼らが遭う事故によってもっとも不気味な形で表現される。この小旅行は、ウィン・トマスが述べている通り、田園的なウェールズ、つまり象徴的にネーションとしての全体性を表象するものを見いだそうとする試みである。[30] この田園像は、この友人たちがかくれんぼをして遊ぶという子供っぽい行動――それは『波』の冒頭の子供時代を彷彿とさせるが――に出ることによって実現されそうになるのだが、それは、マイケルが隠れながらディリスという名の女の子といちゃつき、イヨルワースがそれを目撃して落胆し怒るという事件によって失敗してしまう。

つまり、この最後の小旅行は、モダニズム的な「別の場所」の代替物（この場合は田園的ウェールズ）を見いだそうとする試みかもしれないのだが、『波』であればインド、『多崎つくる』であれば東京に相当するような「場所」は三人には与えられていないのだ。それは、全体性を表象することの不可能性が明らかになった地点において、その不可能性に「蓋（ふた）をする」ために現れる症候だ。『おもちゃの叙事詩』は、『波』との明白な類似性にもかかわらず、そのような空間性を持ってはいない。

この谷（ヴァリー）と丘は、いずれにせよ、逃避先にはならなかった。ここからすべての道がスラネル〔三人の住む町〕に通じている。[31]

『おもちゃの叙事詩』にそのような空間性がないことは、この小説におけるパーシヴァルの機能的等価物を検討することでも分かる。『おもちゃの叙事詩』には、『波』のパーシヴァルのように、物語る声を持ってはいないが、その死が象徴的な意味を持つ登場人物がいる。それはジャック・オーウェンという人物で、彼は空軍の訓練中に死亡するのだ。

「なんてこった。」レスは急に話題を変える。「ジャックのこと聞いたか？　ジャック・オーウェンだよ。あいつは六か月前に空軍に入っただろ？　あいつ、死んじゃったんだって！」

［…］

「どうしたの？」

「北海での訓練の間に。訓練機が出火して、海に墜落したんだ！」

ということで、ジャック・オーウェンはなりそこねのイカロスになったのだ。[32]

ジャックの死は確かに象徴的な意味を持つのだが、それはパーシヴァルが持つ意味とはいくぶん違う。それが象徴するのは、戦争における突然の、偶然の死がもたらす不確実性である。リンデン・ピーチはこの小説の基礎には偶発性と不確実性があると述べており、最後の自動車事故がその最たるものである。ジャックの死はこの小説のそのような気分を決定しているのだ。

この辺で、私のこの小説の読みを明確にしておきたい。この小説は、『波』や『多崎つくる』のように、リアリズム（全体性の表象）の不可能に直面してモダニズムに訴えるのではなく、むしろモダニズム的な形式の中にリアリズムを再挿入するのだ。言い方を変えれば、この小説にはモダニズム的な空間的解決が不可能なのだが、それに代わる解決としてリアリズムが再導入されているのだ。その意味でこそ、『おもちゃの叙事詩』はオルタナティヴなポスト・ビルドゥングスロマンだと言うことができる。

具体的にはどういうことか。『おもちゃの叙事詩』が『波』や『多崎つくる』と異質なのは、その主要登場人物たちが「社会的タイプ」（リアリズムの基本）になっているという点である。『波』と『多崎つくる』の登場人物たちは、比較的に均質なミドルクラスの人物たちである（『多崎つくる』の場合、わざわざ冒頭でそのことが「五人はみんな大都市郊外の「中の上」クラスの家庭の子供たちだった」[33]と確認されている）。それに対して、『おもちゃの叙事詩』の三人の間には階級的・文化的な亀裂が走っている。

『おもちゃの叙事詩』の「社会的タイプ」をまとめれば、次のようになる。

アルビー：産業・プロレタリア的・前‐社会主義的ウェールズ／ウェールズ的ウェールズ
イヨルワース：農業的・自由党的‐非国教会的ウェールズ／ア・ヴロ・ガムライグ
マイケル：イギリス化された・ミドルクラス的ウェールズ／イギリス的ウェールズ？

アルビーとイヨルワースの対照は明確である。バス運転手（労働者階級）の息子であるアルビーは近代の産業ウェールズを象徴し、それに対して農場の息子であるイヨルワースは、残滓的と言ってもよい、ウェールズ語話者の伝統的ウェールズ（ア・ヴロ・ガムライグ）を象徴する。ウィン・トマスは、この二人が「ウェールズ史の一種の小宇宙」を構成していると述べている[34]。

この三人の中ではマイケルがもっとも曖昧なポジションにあるが、冒頭からウェールズ語を喋れないふりをしたりしてウェールズ性に抵抗し、最終的にイングランドに向かうマイケルはイギリス化されたミドルクラス的ウェールズを象徴すると見ていいだろう。ただし、彼がすっかりイングランド化され、その位置に落ち着いてしまうわけではないことが重要だ。彼はオクスフォード大学に奨学金を得て進学するわけで、表面上は二〇世紀的なメリトクラシーにおける階級移動と地理的移動を同時になし遂げるように見える。しかしここまで述べたような小説全体と結末における「未決」の感覚によって、彼の移動には不安がともなう。マイケルは、本書第5章の結末で述べた意味における「エグザイル」であると言うべきだろう。それ自体、二〇世紀においてはひとつの「タイプ」なのである。ただし、そこで述べたように、エグザイルは単に場所から疎外された人ではなく、帰るための場所を作ろうとする人である。マイケルがそのようなエグザイルになり得るのかどうか、これについてこの小説は語ることはないけれども。

『おもちゃの叙事詩』は、ウェールズ内部の「内的差異（internal difference）」を三人の「社会的タイプ」によって表象することで、リアリズム的にウェールズ社会を表象している。それが、同じような成長（の挫折）の物語でありつつ、（ポスト）モダニズム的解決に訴えた『波』『多崎つくる』との差異である。だが、最後に確認しておく必要があるのは、ハンフリーズの「リアリズム」は、最初から獲得されたものではなかったということだ。それは『波』のような実験と経験（experiment/experience）を経てこそ到達されたものであるし、言い換えればモダニズムとの交渉のなかから生じたリアリズムであった。私たちが見つめるべきなのは、結果としての最終生産物（小説）よりは、それが生み出された交渉のプロセスである。

注

（1）河野真太郎『戦う姫、働く少女』堀之内出版、二〇一七年、第二章、ならびに河野真太郎『新しい声を聞くぼくたち』講談社、二〇二二年、第七章。
（2）Raymond Williams, *The Country and the City* (Oxford: Oxford UP, 1973), p. 175.
（3）Raymond Williams, *Politics and Letters: Interviews with New Left Review* (London: NLB, 1979), p. 272.
（4）Alan Sillitoe, *Saturday Night and Sunday Morning* (London: Vintage, 1958), p. 141.〔『土曜の夜と日曜の朝』永川玲二訳、新潮社、一九七九年〕

(5) マイケル・ヤング『メリトクラシー』窪田鎮夫・山元卯一郎訳、講談社エディトリアル、二〇二一年。

(6) Raymond Williams, *Border Country* (Cardigan: Parthian, 2005).〔『辺境』小野寺健訳、新潮社、一九七二年〕

(7) 詳しくは河野真太郎『〈田舎と都会〉の系譜学――二〇世紀イギリスと「文化」の地図』ミネルヴァ書房、二〇一三年、第一章を参照。ここで私は、ポスト・ビルドゥングスロマンとほぼ同じ意味で「イニシエーション小説」という用語を造り、『ボーダー・カントリー』を反イニシエーション小説として読んだ。

(8) Linden Peach, *The Fiction of Emyr Humphreys: Contemporary Critical Perspectives* (Cardiff: University of Wales Press, 2011), p. 3.

(9) John Davies, *A History of Wales*, Revised Ed. (London: Penguin, 2007), p. 576.

(10) Emyr Humphreys, *A Toy Epic* (Bridgend: Seren, 1989), p. 17.

(11) Emyr Humphreys, *A Toy Epic*, p. 121.

(12) Emyr Humphreys, *A Toy Epic*, pp. 17-18.

(13) ヴァージニア・ウルフ『波』森山恵訳、早川書房、二〇二一年、五頁。〔『波』についてはこの新訳版を参照するが、議論の文脈に沿うように一部改訳した〕

(14) 村上春樹『色彩を持たない多崎つくると、彼の巡礼の年』文藝春秋、二〇一三年、二〇頁。

(15) 村上春樹『色彩を持たない多崎つくると、彼の巡礼の年』二七頁。

(16) 村上春樹『色彩を持たない多崎つくると、彼の巡礼の年』三五八頁。

（17）ヴァージニア・ウルフ『波』二九九頁。
（18）Jed Esty, *Unseasonable Youth: Modernism, Colonialism, and the Fiction of Development*, (Oxford: Oxford UP, 2012), p. 27.
（19）ヴァージニア・ウルフ『波』一二三頁。〔communion は「交わり」と訳されている〕
（20）ヴァージニア・ウルフ『波』二二九頁。
（21）ヴァージニア・ウルフ『波』一三二頁。
（22）ヴァージニア・ウルフ『波』一三三頁。
（23）ヴァージニア・ウルフ『波』一三三頁。
（24）レイモンド・ウィリアムズ「メトロポリス的知覚とモダニズムの出現」『想像力の時制　文化研究Ⅱ』川端康雄編訳、みすず書房、二〇一六年、九四―一一二頁。フレドリック・ジェイムソン「モダニズムと帝国主義」『民族主義・植民地主義と文学』増渕正史・安藤勝夫・大友良勝訳、法政大学出版局、一九九六年、四九―七八頁。
（25）Jed Esty, *A Shrinking Island: Modernism and National Culture in England* (Princeton: Princeton UP, 2003).
（26）村上春樹『色彩を持たない多崎つくると、彼の巡礼の年』三五七頁。
（27）三浦玲一「『多崎つくる』とリアリズムの消滅――アメリカ・モダニズム小説の意味」『村上春樹とポストモダン・ジャパン――グローバル化の文化と文学』彩流社、二〇一四年。
（28）M. Wynn Thomas, Afterword in Emyr Humphreys, *A Toy Epic* (Bridgend: Seren, 1989) pp. 122-150.
（29）Emyr Humphreys, *A Toy Epic*, p. 47.
（30）M. Wynn Thomas, Afterword, pp. 137-138.

（31） Emyr Humphreys, *A Toy Epic*, pp. 117-118.
（32） Emyr Humphreys, *A Toy Epic*, p. 107.
（33） 村上春樹『色彩を持たない多崎つくると、彼の巡礼の年』八頁。
（34） M. Wynn Thomas, Afterword, p. 139.

あとがき

本書は私が雑誌『現代思想』に寄せた論考を核として、それに補論や書き下ろしの章を加え、後半は私のウェールズ文学研究を軸にして、その問題意識に基づいた文学論を集めたものである。最初にこの話をいただいた時は、一貫したテーマで読者に飲み込みやすい本を編むことを考えたが、そうではなくむしろ私の名前を冠する論集を作りたいのだという編集者の声に恐縮しながらも意を強くして、本書のとりわけ後半には私の専門分野であり、そもそもの作品の読者も少ないであろうウェールズ文学論を配し、一冊の本にした。その意味では本書は、書き手としての私のわがままが通っている本であり、自分としては満足感が非常に高い。ただ、著者の満足感と読者のそれは比例するとは限らないので、ご批判を待ちたいと思う。

本書では、文化とは何か、文化を研究することとは何か、人文学の役割とは何かといったメタ的な考察はあまり行っていないが、イギリス文学研究（ヴァージニア・ウルフ研究）から出発し、やがてレイモンド・ウィリアムズの仕事に魅了され、それらを昇華する形で現代文化とジェンダーをめぐる著作をなすようになったここ一〇年ほどの私は、研究の上でも実生活の上でも、人文学のあり方について思い悩み続けてきた。思い悩みつつも、最近では自分の学問分野は「カルチュラル・スタディーズ」だと言うようになってきている。実は、自分の仕事はカルチュラル・スタディーズだと断言することはずっとためらってきたのだが、ひとつには専修大学国際コミュニケーション学部に移籍して、ゼミを持って学生に教える役割が生じる中で、学生に何を教えているのかはっきりさせなければならないという事情が片方ではあった。

もう片方では、気づいてみればやっていることはカルチュラル・スタディーズだった、という事情がある。これは否定的な意味ではない。文学研究の方法を、現代社会についての批判的考察へと昇華していく方法を模索した私は、結果的にカルチュラル・スタディーズとしか言えない何かをやっていることに気づいた、ということである。そのような私の仕事が、新自由主義的な社会の批判的考察を中心としたことは、イギリスのカルチュラル・スタディーズが一九八〇年代以降、サッチャリズムに端を発する新自由主義への批判的視座を探究し続け、その中心地であったバーミンガム大学の現代文化研究センター(CCCS)が新自由主義的と言うしかない高等教育改革の中で「お取り潰し」に近い形で消滅したことを考えると、ある種の必然性を感じる。日本の高等教育政策も、人文学の縮小の基本路線をここのところ加速してきている。そのような中で、文化を研究するとは何かという考察は、そのような政策との批判的対決を必然的に要求するものであり、今、あらためて「カルチュラル・スタディーズ」を標榜することは、そのような対決のためのマニフェストになるのかもしれないと考えている。そのような意味で、本書の学問分野は何かと問われるなら、カルチュラル・スタディーズだと答えたい。

本書が負っている学恩については、あまりにも長大なリストになりそうなので割愛させていただく。ただ、二〇〇五年にウィリアムズの『文化と社会』の読書会から始まり、早二〇年が経とうとしているレイモンド・ウィリアムズ研究会とそのメンバーには格別の感謝を捧げたい。

本書の編集を担当してくださった青土社の足立朋也さん、『現代思想』で編集を担当してくださった樫田祐一郎さんにも感謝したい。第6章の元になった論考を『文學界』に掲載する機会を与えてくださった『文學界』編集部の長谷川恭平さんにも感謝の言葉を。本書の原稿を丁寧に読み込んだ上ですばらしい装幀をしてくださった木下悠さんにも感謝を申し上げる。カバーの写真は木下さんが本書から導き出してくださったコンセプト（それを言葉で説明する野暮は慎む）に従ったものであるが、同時に二〇一六年六月二三日のブレグジット国民投票の約一か月前に、私自身がスウォンジーで撮影したものである。運命を感じざるを得ない。

二〇二三年六月

河野真太郎

初出一覧

第1章 『現代思想』二〇二〇年三月臨時増刊号
第2章 『現代思想』二〇二一年五月号（「補論」は書き下ろし）
第3章 『現代思想』二〇二二年一二月号
第4章 書き下ろし
第5章 'Culture, Nature, and Livelihood: Raymond Williams and Hayao Miyazaki.' *Key Words* 20 (2022), pp. 99-117.（翻訳にあたっては、日本語読者の文脈に配慮して加筆修正を加えた）
第6章 『文學界』二〇二二年三月号
第7章 書き下ろし

書籍化にあたって加筆修正を行った。

河野真太郎（こうの・しんたろう）

1974年、山口県生まれ。一橋大学法学部卒業。東京大学大学院人文社会系研究科博士課程単位取得満期退学。博士(学術)。専門はイギリス文学・文化ならびに新自由主義の文化と社会。一橋大学大学院商学研究科准教授などを経て、現在、専修大学国際コミュニケーション学部教授。著書に『〈田舎と都会〉の系譜学——二〇世紀イギリスと「文化」の地図』(ミネルヴァ書房、2013年)、『戦う姫、働く少女』(堀之内出版、2017年)、『新しい声を聞くぼくたち』(講談社、2022年)など、訳書にウェンディ・ブラウン『新自由主義の廃墟で』(人文書院、2022年)、アンジェラ・マクロビー『フェミニズムとレジリエンスの政治』(共訳、青土社、2022年)などがある。

この自由な世界と私たちの帰る場所

2023年7月7日　第1刷印刷
2023年7月14日　第1刷発行

著　者　河野真太郎

発行者　清水一人
発行所　青土社
〒101-0051　東京都千代田区神田神保町1-29　市瀬ビル
電話　03-3291-9831（編集部）　03-3294-7829（営業部）
振替　00190-7-192955

印　刷　双文社印刷
製　本　双文社印刷

装　幀　木下 悠

ISBN978-4-7917-7562-0